Cymraeg TGAU – Hel

gydag astudio

EIRUG WYN

I Ble'r Aeth Haul y Bore?

Nodiadau astudio

gan Dafydd Roberts

atebol

Cydnabyddiaethau

Golygwyd gan **Bethan Clement ac Eirian Jones**

Dyluniwyd gan Stiwdio Ceri Jones, **stiwdio@ceri-talybont.com**

Diolch i Wasg Y Lolfa am eu caniatâd i ddefnyddio clawr y nofel wreiddiol

Argraffwyd gan **Wasg Gomer**

Cyhoeddwyd gan Atebol Cyfyngedig, Adeiladau'r Fagwyr, Llanfihangel Genau'r Glyn, Aberystwyth, Ceredigion SY24 5AQ

www.atebol.com

Trydydd Argraffiad 2016

ISBN: 978-1-907004-93-3

Cynnwys

1. Lleoliadau'r nofel

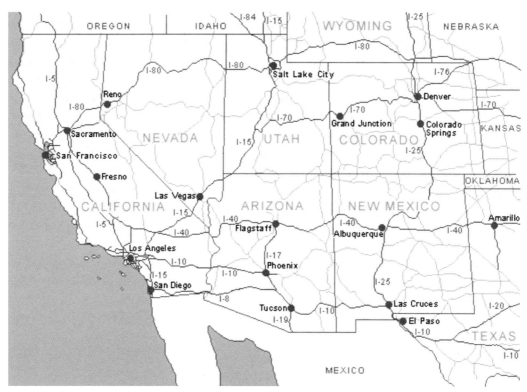

Map o Dde Orllewin Unol Daleithiau America heddiw.
Dinas Albuquerque yn Mecsico Newydd yw'r ddinas amlycaf a chanolog sy'n ein harwain at leoliadau yr hen Orllwein Gwyllt yn y nofel "I Ble'r Aeth Haul y Bore?" gan Eirug Wyn.

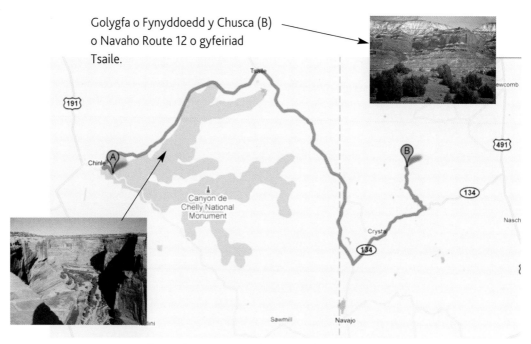

Golygfa o Fynyddoedd y Chusca (B) o Navaho Route 12 o gyfeiriad Tsaile.

Dyma fap yn dangos Cenant de Chelley fel ag y mae heddiw.
Gwelir mynedfa i'r Ceunant (A) ac yna'r daith heddiw (mewn glas) i ganol Mynyddoedd y Chusca (B).

GORLLEWIN GWYLLT
Y NAVAHO

CEUNANT
DE
CHELLEY

MYNYDDOEDD
Y CHUSCA

BOSQUE
REDONDO

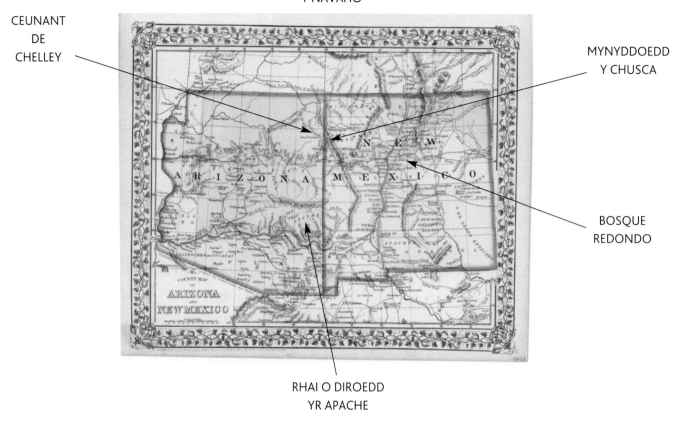

RHAI O DIROEDD
YR APACHE

GORLLEWIN GWYLLT
Y COTIAU GLAS

FFORT
DEFIANCE

FFORT
SUMNER

BOSQUE
REDONDO

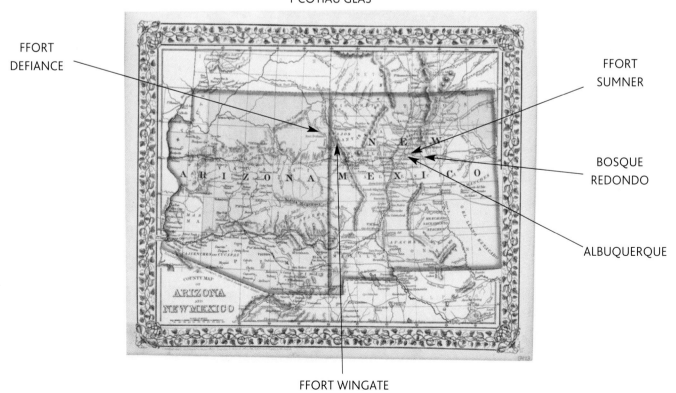

ALBUQUERQUE

FFORT WINGATE

Dyma fap yn dangos y daith heddiw o Ffort Defiance (A) yn nhalaith Arizona i Ffort Sumner (B) yn nhalaith Mecsico Newydd. Dyma gyfeiriad Taith Faith y Navaho ond ni ellir bod yn sicr o union lwybr y daith honno (yn ôl cyfarwyddiad cerdded Google Maps byddai'r daith hon, ar hyd y llwybr uchod, wedi cymryd 14 diwrnod a 12 awr.) Sylwch ar enw'r dref, Navajo, yng nghornel chwith y map ac er nad yw i'w weld ar y map hwn mae Ceunant de Chelley i'r gogledd (tua 80 milltir) o'r dref honno.

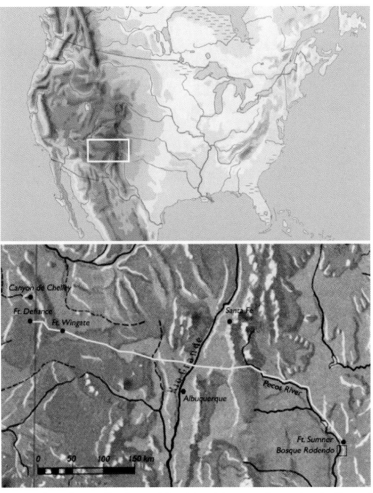

Map arall yn dangos llwybr posibl Taith Faith y Navaho o Ffort Defiance i Ffort Sumner a Bosque Redondo.

2. Eirug Wyn

Enillodd y Fedal Ryddiaith a
Gwobr Goffa Daniel Owen ddwywaith

Cafodd Eirug Wyn ei eni yn Llanbrynmair yn 1950 ond symudodd y teulu i Arfon pan gafodd ei dad ei wneud yn weinidog yn Neiniolen. Aeth i Ysgol Brynrefail, Llanrug, a Choleg y Drindod, Caerfyrddin, ond penderfynodd mynd i fyd busnes yn lle dysgu.

Roedd yn awdur poblogaidd a enillodd Y Fedal Ryddiaith a Gwobr Goffa Daniel Owen ddwywaith yn yr Eisteddfod Genedlaethol. Daeth i sylw cenedlaethol fel awdur am y tro cyntaf pan enillodd goron Eisteddfod yr Urdd yn 1974.

Rhwng 1992 a 2002 cyhoeddodd 15 o lyfrau, 11 ar gyfer oedolion a phedwar i blant. Roedd 14 ohonyn nhw'n nofelau ac un yn gyfrol o straeon byrion.

Roedd yn wladgarwr tanbaid a bu mewn sawl llys a threulio amser mewn carchar oherwydd ei ddaliadau.

"Chwaraeodd Eurig ran bwysig ym mrwydr yr Iaith yn y 70au a thrwy ei ymdrechion fel plentyn ysgol llwyddodd i gael yr hawl i ddysgwyr i arddangos D ar gerbydau," dywedodd ei gyfaill, Elfyn Llwyd, AS Meirionnydd Nant Conwy.

Ymhlith ei ddiddordebau roedd ffilmiau cowbois neu Westerns a dilyn tîm Manchester United. Ei nofel "United" yw ei nofel i gefnogwyr Man Utd ac "I Ble'r Aeth Haul y Bore?" yw'r nofel sy'n deillio o'i ddiddordeb mewn ffilmiau cowbois.

Ond fel y dywedwyd yn y papur bro "Eco'r Wyddfa" adeg ei farwolaeth yn 2004, "efallai mai'r stori fwyaf oedd stori ei fywyd ei hun."

3. Cefndir a chyd-destun y nofel

Mae'r nofel yn digwydd yn ystod cyfnod Rhyfel Cartref America. Mae'n nofel gignoeth gyda llawer o ymladd gwaedlyd rhwng y fyddin a'r Indiaid. Mae pobl yn dioddef llawer ac mae llawer o drais o bob math yn digwydd.

Daeth Andrew Johnson yn Arlywydd America. Roedd angen mwy o dir ar y setlwyr gwyn a dechreuodd Jackson ar y gwaith o symud yr Indiaid o'u tiroedd a dileu nifer o'r llwythau brodorol. Roedd Jackson eisiau i'r Indiaid symud yn wirfoddol achos roedd yn credu bod gorfodi pobl i symud i leoedd dieithr yn greulon. Ond roedd ef hefyd yn dweud y dylen nhw ufuddhau i gyfreithiau'r ardal lle'r oedden nhw'n byw. Hynny yw, wedi iddyn nhw symud i ffwrdd o'u tiroedd nhw, byddai rhaid anghofio rheolau a chyfreithiau'r Indiaid.

Erbyn 1830 roedd Deddf Symud yr Indiaid (*Indian Removal Act*) yn rhan o gyfraith y taleithiau. Roedd mwy a mwy o setlwyr yn symud i orllewin a de America. Daethon nhw o hyd i aur ar diroedd llwyth y Cherokee yn y de ac roedd tir llwythau'r Navaho a'r Apache yn y gorllewin yn ffrwythlon iawn. Erbyn 1837 roedd 46,000 o Indiaid wedi cael eu symud o daleithiau'r de gan agor dros 25 miliwm o aceri o dir ar gyfer y setlwyr gwyn.

Cafodd Ffort Defiance ei adeiladu yn 1851 er mwyn creu presenoldeb milwrol ar dir y Navaho. Ymosododd y Navaho ar y Ffort ddwywaith – y tro cyntaf yn 1856 a'r ail waith yn 1860. Ar Ebrill 30ain 1860 ymosododd tua 1,000 o ryfelwyr y Navaho dan arweiniad Manuelito a Barboncito ar Ffort Defiance. Roedden nhw'n flin oherwydd bod y fyddin wedi dwyn tir ffrwythlon y Navaho ar gyfer anifeiliaid y fyddin ond heb ddod â bwyd i anifeiliaid y Navaho (tud 30).

Daeth y Cotiau Glas i'r Ffort yn 1861. Anfonodd y Cadfridog James Henry Carleton, Kit Carson i gadw trefn ar y Navaho. Ateb Carleton i'r broblem oedd gorfodi miloedd o'r Navaho i gerdded y Daith Faith a'u cadw yng ngwersyll Bosque Redondo yn agos i Ffort Sumner ym Mecsico Newydd.

Yn 1863, mae Kit Carson, cyrnol gyda'r Cotiau Glas (byddin America) yn cael gorchymyn i berswadio llwyth y Navahos i symud o Geunant de Chelley i wneud lle ar gyfer mewnfudwyr gwyn eu croen. Doedd e ddim eisiau gwneud hyn ond roedd yn rhaid iddo ufuddhau'r gorchymyn.

Ceunant de Chelley

Mae Ceunant de Chelley yng nghysgod Mynyddoedd y Chusca ac wedi'i leoli rhwng pedwar o fynyddoedd oedd yn sanctaidd i'r Navaho. Roedd yr Indiaid yn byw yn y creigiau yn y ceunant ac yn cadw anifeiliaid yno. Mae'r nofel yn cyfeirio at ogof arfau y Navaho yn y ceunant.

Yn 1864 cafodd miloedd o'r Navaho eu gorfodi i gerdded o'u tiroedd ym Mynyddoedd y Chusca / Ceunant de Chelley, Arizona i wersyll Bosque Redondo ger Ffort Sumner ym Mecsico Newydd. Ystyr Bosque Redondo yw "coedwig gron" yn yr iaith Sbaeneg.

Dechreuodd y daith ym mis Ionawr 1864 a bu farw o leiaf 200 wrth iddyn nhw gerdded tua 300 milltir mewn 18 diwrnod. Erbyn 1865 roedd dros 9,000 o bobl yn y Bosque. Roedd problemau yn BosqueRedondo oherwydd bod llwythau o Indiaid fel y Mescalero (Apache) wedi cael eu gosod yno'n barod. Roedd y llwythau yn cweryla â'i gilydd a doedd dim digon o ddŵr na choed tân yno. Hefyd, doedden nhw ddim wedi llwyddo i dyfu cnydau yno.

Yn 1868 penderfynodd y llywodraeth bod yr arbrawf o symud a chasglu llwythau i Bosque Redondo wedi bod yn fethiant.

Crynodeb

- 1846 – 1863 llawer o hanesion am frwydrau rhwng y Cotiau Glas a'r Navaho – mae un hanesyn yn sôn am dreisio un Navaho. (Ai dyma ble y cafodd yr awdur y syniad am stori Haul y Bore?)
- 30 Ebrill 1860 – Manuelito a Barboncito yn arwain 1,000 o ryfelwyr mewn ymosodiad ar Ffort Defiance.
- 15 Chwefror 1861 – Cytundeb heddwch yn cael ei arwyddo gyda'r Navaho ond y Navaho wedi colli dau o'u pedwar mynydd sanctaidd.
- Mae hanesion gŵr o'r enw Manuel Chaves, a'r ffordd roedd e'n trin y Navahos, yn ein hatgoffa o Victor Dicks, y milwr treisgar yn y nofel.
- Cyrnol Canby yn ceisio datrys helynt y Navaho.
- Medi 1862 – James Henry Carleton yn cymryd yr awenau oddi ar Canby.
- 20 Gorffennaf 1863 – Kit Carson yn cael gorchymyn i sicrhau bod y Navaho i gyd wedi symud erbyn y dyddiad hwn.
- 1863 – difa cnydau'r Navaho er mwyn sicrhau bod rhaid iddynt symud.
- Rhai o'r Navaho yn dianc i Fynydd y Navaho, y Grand Canyon a thir yr Apache Chiricahua.

4. Crynodeb o'r stori

Ar ddechrau'r nofel, mae Haul y Bore yn cael babi – Chiquito. Mae Kit Carson ar ei ffordd i Ffort Defiance. Mae'n deall mai'r bwriad yw anfon yr Indiaid i'r Bosque ac nid yw'n hapus â hyn.

Mae Dicks yn dod ar draws gwersyll yr Apache ac yn ymosod arnynt gan ladd y gwragedd a'r plant. Mae'n lladd Chiquito ac yn treisio Haul y Bore. Tad Haul y Bore yw Manuelito, un o ricos (penaethiaid) llwyth y Navaho.

Pan mae Chico'n dychwelyd wedi iddo fod yn hela a chlywed beth mae Dicks wedi'i wneud i'w wraig a'i blentyn mae e eisiau dial ar y Cotiau Glas.

Wrth ddial ar Dicks a'r Cotiau Glas mae Chico'n cael ei ddal. Mae Dicks yn ei adael i farw ond mae Chico'n cael ei achub gan ddau o sgowtiaid y Cotiau Glas sy'n aelodau o lwyth yr Arapaho. Yn y cyfamser mae Haul y Bore wedi dianc ac mae ei thad, Manuelito wedi dod o hyd iddi.

Mae Kit Carson yn cyrraedd Ffort Defiance. Mae'r Cadfridog Carleton yn rhoi tri mis i Carson symud y Navaho o Geunant de Chelley i'r Bosque. Mae Carson yn mynd i'r Ceunant i siarad â Manuelito sy'n dweud wrtho na fyddan nhw'n gadael eu cartref yn dawel. Wedi dychwelyd i Ffort Defiance mae Carson yn dweud wrth Carleton mai'r unig ffordd i symud y Navaho yw trwy ddinistrio'u cnydau. Mae Carson yn dychwelyd i wneud hynny ond mae Carleton eisiau iddo ddifa'r perllannau yn y Ceunant yn ogystal. Mae Carson yn gwrthod gwneud hynny. Mae Carleton yn anfon Victor Dicks i wneud y gwaith yn lle Carson ac mae Carson yn cael ei anfon i Ffort Sumner. Mae Dicks yn cael gorchymyn i wenwyno'r ffynhonnau dŵr, y tyllau dŵr a'r afonydd yn ogystal.

Yn y cyfamser mae'r Apache a llwythau eraill, dan arweiniad Geronimo, yn creu hafog ac maen nhw'n paratoi ar gyfer ymosodiad mawr ar Ffort Defiance. Nid yw Carleton yn barod ar gyfer yr ymosodiad hwn ac mae Geronimo yn llwyddo i dynnu dau gant o'r Cotiau Glas allan o'r Ffort a'u lladd i gyd ym Mrwydr Ffort Defiance. Nid oedd Chico yn rhan o'r frwydr hon. Roedd ef wedi bod yn gweld Haul y Bore ac yna aeth i geisio dwyn gwartheg y Cotiau Glas yn Albuquerque.

Yng Ngheunant de Chelley mae'r Navaho a Haul y Bore yn eu mysg yn gwylio Dicks a'i filwyr yn dinisitrio eu cartrefi ac yn lladd byd natur y Ceunant. Wrth i Dicks a'r milwyr adael, wedi pedwar diwrnod o ddinistrio, mae'r Navaho yn ymosod arnyn nhw o'r ogofâu uwchben. Mae deugain o'r Cotiau Glas yn cael eu lladd ond mae bron i gant o'r Navaho yn cael eu lladd hefyd gan fwledi adlam.

Wedi i'r Cotiau Glas ddinistrio Ceunant de Chelley mae Herrero Grande, pennaeth holl ricos y Navaho yn penderfynu bod rhaid iddyn nhw ildio. Nid yw Manuelito yn cytuno ond rhaid iddo barchu penderfyniad Herrero. Wedi iddyn nhw ildio yn Ffort Defiance mae Carson yn dod i'w hebrwng o'r Ceunant ac mae'n ddiwrnod trist iawn wrth i fil o Indiaid adael eu cartref.

Mae'r Cotiau Glas wedi trefnu i'r Navaho ymuno â llwythau eraill y tu allan i Ffort Defiance i ddechrau ar y Daith Faith i'r Bosque Redondo. Bydd rhaid i'r Indiaid gerdded yr holl ffordd yno. Wrth iddyn nhw ddisgwyl yn yr oerni y tu allan i'r Ffort daw Victor Dicks â blancedi iddyn nhw yn y nos ond mae afiechyd y Frech Wen ar y blancedi hyn. Mae Carson yn clywed hyn ac mae'n gwylltio. Mae'n carcharu Dicks yn Ystafell Warchod y Ffort. Mae Carleton yn clywed am hyn ac mae e'n rhyddhau Dicks ac yn carcharu Carson!

Tra bod Carson yn y carchar mae Carleton yn rhoi gorchymyn i Dicks ddechrau cerdded yr Indiaid ar y daith i'r Bosque. Wedi iddyn nhw adael mae Carson yn dianc o'r carchar, yn newid ei ddillad i wisgo dillad Indiad ac yn marchogaeth i Geunant de Chelley. Yn y Ceunant mae Carson yn cyfarfod Chico ac mae'r ddau'n penderfynu dilyn y Navaho ar y Daith Faith.

Mae Chico yn llwyddo i saethu Dicks yn ei ysgwydd ar y Daith a rhaid i Dicks ddychwelyd i Ffort Defiance. Mae Carson yn cynorthwyo Haul y Bore i redeg a dianc. Mae Dicks yn mynd i chwilio am Haul y Bore ymysg yr Indiaid sy'n digwyl i gael eu cludo unwaith eto ir Bosque y tu allan i Ffort Defiance. Mae'n dod o hyd iddi ac yn ei bygwth ond mae Haul y Bore yn gafael yng ngwn Dicks ac yn saethu ei hun.

Daw Necwar, Navaho a oedd yn llygad-dyst i hunanladdiad Haul y Bore, i Geunant de Chelley. Mae Chico wedi cael ei anafu'n ddrwg wedi iddo gael ei ddal gan y Cotiau Glas wrth fyw fel herwr ac mae yn un o ogofâu y Ceunant gyda Kit Carson. Mae Carson yn clywed am hunanladdiad Haul y Bore gan Necwar. Mae Carson a Chico'n mynd i'r Ffort. Mae Carson yn gosod Chico i bwyso wrth goeden ac yn rhoi gwn yn ei law. Yna mae Carson yn mynd i'r Ffort wedi ei wisgo fel y Cadfridog Carleton ac yn casglu Dicks o'r Ffort a'i gyflwyno i Chico. Daw'r Cotiau Glas i chwilio am Dicks ond wrth ddod o hyd iddo wrth goeden Chico maen nhw'n gweld Chico yn saethu Dicks. Yna mae Chico'n cael ei saethu.

5. Plot ac adeiladwaith

Mae plot y nofel hon wedi ei glymu gan deithiau. Y Daith Faith i'r Bosque Redondo yw cefndir yr holl ddigwyddiadau ynddi ond bydd cymeriadau yn mynd ar deithiau daearyddol o un man i fan arall o fewn taleithiau De Orllewin Unol Daleithiau America. Byddan nhw hefyd yn mynd ar deithiau personol fydd yn eu galluogi i ddeall eu cymeriadau eu hunain.

Dechrau a Diwedd
Yr awdur sydd wedi creu cymeriad Chico fel llysfab i bennaeth llwyth yr Apache, Geronimo. Ef hefyd sydd wedi creu Haul y Bore yn ferch i Manuelito, un o ricos llwyth y Navaho. Dewisodd Eirug Wyn ddau lwyth gwahanol iawn eu natur, un yn llwyth rhyfelgar iawn, sef yr Apache a'r llall yn llwyth heddychlon iawn, sef y Navaho.

Ar ddechrau'r nofel, rydyn ni'n dod i adnabod Haul y Bore a Chico fel gŵr a gwraig ac mae eu mab, Chiquito, felly'n uno'r ddau lwyth hwn. Yn y bennod gyntaf mae Haul y Bore yn cael ei threisio gan ddyn o'r enw Victor Dicks sy'n gapten gyda'r Cotiau Glas ac mae Dicks yn lladd y babi bach Chiquito o flaen ei fam. Yn y bennod olaf mae Victor Dicks yn cael ei saethu'n farw gan Chico.

Mae Haul y Bore yn mynd ar Y Daith Faith i'r Bosque Redondo ond nid yw hi'n cyrraedd yno. Mae hi'n marw drwy gyflawni hunanladdiad y tu allan i Ffort Defiance drwy ddefnyddio gwn Dicks cyn iddo ymosod arni eto. Fel Haul y Bore, mae Victor Dicks hefyd yn mynd ar Y Daith Faith ond nid yw'n cyrraedd y Bosque oherwydd mae'n cael ei daro'n wael wedi iddo gael ei daro yn ei ysgwydd gan un o saethau Chico. Yn y diwedd y mae yntau hefyd yn marw y tu allan i Ffort Defiance wedi i Kit Carson ei gael o'r Ffort a'i gyflwyno i Chico i'w saethu.

Mae Chico yn mynd ar sawl taith yn y nofel – rydyn ni'n clywed amdano'n hela gyda Geronimo, yn dwyn gwartheg yn Albuquerque, yn dilyn Y Daith Faith yn y mynyddoedd gyda Kit Carson ac yn y blaen, ond y tu allan i Ffort Defiance y mae yntau hefyd yn marw drwy gael ei saethu gan y Cotiau Glas wedi iddo saethu Dicks. Mae teithiau'r tri ohonyn nhw'n gorffen ger Ffort Defiance wedi i'w llwybrau ymestyn yn bell ar draws y taleithiau a chroesi ei gilydd sawl gwaith yn ystod y nofel.

Carson a Carleton

Mae datblygiad personol y cymeriadau hyn a'u perthynas yn llinyn drwy'r stori. Eu penderfyniadau nhw sy'n llywio tynged llwythau'r Indiaid a chymeriadau unigol y stori.

Mae Kit Carson yn amlwg yn anhapus â phenderfyniad yr Arlywydd yn Washington i symud y Cotiau Glas am ddau brif reswm. Yn gyntaf, doedd ef fel milwr ddim yn derbyn bod rhaid gwneud hyn oherwydd doedd yr Indiaid a'r dynion gwyn ddim mewn sefyllfa o ryfel ar ddechrau'r nofel. Yn ail, mae'n teimlo ei fod yn perthyn i'r Indiaid oherwydd ei fod wedi bod yn byw gyda nhw ond efallai yn bennaf oherwydd bod ganddo blentyn sy'n un o lwyth yr Arapaho.

Erbyn diwedd y nofel mae digwyddiadau fel treisio Haul y Bore, lladd Chiquito, dinistrio Ceunant de Chelley ac yn y blaen wedi newid meddwl Carson ac mae'n derbyn bod y Cotiau Glas wedi creu sefyllfa o ryfel gyda llwythau'r Indiaid drwy ymosodiadau o drais annisgrifiadwy a dwyn eu tiroedd yn enw cynnydd. Mae Carson yn dial ar y Cotiau Glas, drwy gyflwyno Victor Dicks i Chico i'w ladd, ond mae'n gwneud hynny fel Indiad a'r Taflwr Rhaffau ac nid Kit Carson ydyw erbyn diwedd y nofel.

Y Daith Faith a Manuelito

Dewisodd yr awdur ganolbwyntio ar un o ricos y Navaho, sef Manuelito er mwyn cyflwyno hanes y Daith Faith i'r Bosque Redondo i ni. Gwelodd Eirug Wyn gryfder yng nghymeriad y Navaho hwn, mwy nag yng nghymeriad pennaeth y ricos sef Herrero Grande. Trwy greu gwrthdaro rhwng Herrero Grande a Manuelito rydyn ni'n cael golwg ar natur llwyth y Navaho a natur y cymeriadau. Rydyn ni'n dod i adnabod yr hen ddynion yn dda. Rydyn ni hefyd yn gwylio brwydr y llwyth heddychlon hwn i ddygymod â thrais y Cotiau Glas a'r dyn gwyn ac yn cael cyfle i glywed areithiau Manuelito. Mae hi'n amlwg i'r awdur gael ei gyfareddu gan sŵn geiriau a brawddegau barddonol sy'n llawn symbolaeth yn areithiau enwog Chief Sitting Bull a Chief Seattle sydd ar gof a chadw ac roedd am i ni eu clywed. Rydyn ni'n cael cyfle i glywed tair o'r areithiau ar adegau penodol yn y nofel.

Digwyddiadau hanesyddol a'r dychymyg

Mae stori Haul y Bore a chymeriad Victor Dicks yn gwbl ddychmygol (er bod hanesion milwr go iawn o'r enw Manuel Chaves yn ein hatgoffa o gymeriad Victor Dicks). Mae'r nofel yn cael ei gosod o fewn cyd-destun digwyddiadau hanesyddol gwir, fel y Daith Faith i'r Bosque Redondo a Brwydr Ffort Defiance. Bwriad yr awdur oedd dod â'r digwyddiadau hanesyddol hyn yn fyw i'r darllenydd a cheisio ein cael i ddod i adnabod y cymeriadau a oedd yn rhan o'r digwyddiadau hyn.

6. Cip ar y Cymeriadau

APACHE

Mangas Colorado

Pennaeth hynafol llwyth yr Apache yw Mangas Colorado. Mae ef wedi llwyddo i gadw'r heddwch gyda'r dyn gwyn. "Drwy amynedd a doethineb ... a bygwth!" meddai Manuelito. Daeth Geronimo i fod yn bennaeth yn ddiweddarach.

Geronimo

Tad Chico ac un o arweinwyr cryf yr Indiaid yw Geronimo. Mae sôn amdano fel "un o benboethiaid yr Apache" yn y nofel. Y mae'n gymeriad hanesyddol a ddaeth yn un o benaethiaid cryf yr Indiaid.

Cochise

Un o benboethiaid yr Apache yw Cochise. Mae'n dal Carson yn cysgu ar ei ffordd i Ffort Sumner ac yn cael y fraint o lusgo Carson y tu ôl i'w geffyl at draed Geronimo.

Chico

Llysfab Geronimo, un o arweinwyr llwyth yr Apache, yw Chico. Mae'n ŵr i Haul y Bore o lwyth y Navaho. Roedd Manuelito yn meddwl y byddai yn un o arweinwyr llwyth yr Apache yn y dyfodol.

Chiquito

Ef yw mab Haul y Bore a Chico, ond mae'n cael ei ladd gan Dicks pan yw'n saith niwrnod oed, cyn i'w dad ei weld.

Quanah

Hen wraig ddoeth sydd wedi gweld pethau erchyll ac yn adrodd straeon i ddychryn plant bach wrth y tân. Mae hi'n llygad-dyst i lofruddiaeth Chiquito a threisio Haul y Bore ac mae'n adrodd yr hanes wrth Geronimo a Chico.

NAVAHO

Haul y Bore

Hi yw merch Manuelito, un o ricos llwyth y Navaho. Mae hi'n priodi Chico o lwyth yr Apache. Ar ddechrau'r nofel, mae hi'n cael ei threisio gan Dicks ac yn agos i ddiwedd y nofel, mae'n ei lladd ei hun cyn iddo gael y cyfle i ymosod arni eto. Mae hi'n ddewr iawn ac yn arweinydd naturiol.

Manuelito

Mae'n un o ricos y Navaho ac ef yw tad Haul y Bore. Roedd e'n ŵr llawen ond roedd golwg flin ar ei wyneb bob amser. Roedd ganddo lygaid treiddgar a rhwymyn gwyn o amgylch ei ben.

Juanita – Mam wen / llysfam Haul y Bore.

Barboncito

Mae Barboncito yn un o ricos y Navaho ac ef sy'n gyfrifol am warchod y Navaho yng Ngheunant de Chelley ac am arwain y llwyth i guddio yn yr ogofâu pan mae Dicks yn dod i ddinistrio bywoliaeth y Navaho yn y Ceunant.

Herrero Grande

Mae'r Navahos wedi ei ddewis yn brif bennaeth arnyn nhw. Nid yw mor wyllt â rhai o'r ricos ac mae am bwyllo cyn dial ar y Cotiau Glas. Yn ei farn ef, weithiau, mae rhaid ildio er mwyn atgyfnerthu. Ef oedd yn gyfrifol am yr Indiaid i gyd ar y Daith Faith i'r Bosque.

YR ARAPAHO

Tanuah a Benito

Dyma'r ddau hanner brid oedd wedi bod yn sgowtiaid i'r Cotiau Glas. Nhw oedd wedi gofalu am Chico am wyth diwrnod cyn iddo ddadebru wedi i Dicks ei saethu a'i glymu wrth goeden yn fwyd i'r bleiddiaid.

Y COTIAU GLAS

Is-gyrnol Kit Carson

Mae'n is-gyrnol ym myddin y Cotiau Glas ac enw'r Navaho arno yw Taflwr Rhaffau. Mae Carson yn deall yr Indiaid ac maen nhw'n ei barchu. Mae Carson wedi bod yn byw ymhlith yr Indiaid ac wedi cyd-fyw â merch o lwyth y Cheyenne.

Cadfridog James Henry Carleton

Mae'n gadfridog ym myddin y Cotiau Glas. Mae wedi bod yn gyfrifol am symud yr Apache i'r Bosque gan ladd llawer o'r arweinwyr. Mae'n cael Carson i wneud y gwaith o symud y Navaho i'r Bosque oherwydd dydyn nhw ddim mor dresigar ac mae angen bod yn fwy diplomyddol. Mae llawer o wrthdaro rhyngddo ef a Carson yn y nofel.

Victor Dicks
Mae'n ŵr mawr cydnerth â barf goch yn cuddio'r rhan fwyaf o'i wyneb. Mae'n casáu'r Indiaid ac yn eu twyllo'n aml, e.e. mae'n cynnig anrhegion ac yn yfed wisgi gyda'r Apache cyn eu saethu'n farw ac mae e'n rhoi blancedi wedi eu heintio â'r frech wen i'r Navaho.

Cyrnol Edward Richard Sprigg Canby
Mae Herrero Grande a Manuelito a ricos eraill y Navahos yn dod ato yn Ffort Wingate i arwyddo cytundeb heddwch. Mae gan Carson barch tuag ato ond mae Carleton yn ei ofni.

7. Dadansoddiad o'r prif gymeriadau

Yr Is-gyrnol Christopher Houston "Kit" Carson (1809 –1868)

Mae Kit Carson yn saith a deugain mlwydd oed yn y nofel ac yn Is-gyrnol ym myddin y Cotiau Glas ac enw'r Navaho arno oedd "Taflwr Rhaffau". Roedd yn credu'n gryf mewn uno taleithiau America a hefyd mewn dileu caethwasiaeth. Mae ei wyneb yn greithiau byw wedi sawl hen ysgarmes, mae'n moeli ac mae mwstas trwchus ganddo. Roedd e'n rhyfelwr penigamp ac arweinydd heb ei ail. Roedd Carson yn deall yr Indiaid ac roedden nhw yn ei barchu. Roedd Kit Carson wedi bod yn byw ymhlith yr Indiaid ac wedi cyd-fyw â merch o lwyth y Cheyenne. Roedd o hefyd yn dad i ferch o lwyth yr Arapaho. Priododd wraig o'r enw Joseffa a gadael y fyddin ond roedd o'n anhapus iawn a phenderfynodd ddychwelyd. Anfonodd y Cadfridog Carleton am gymorth Carson i symud y Navaho i Bosque Redondo. Er bod Carson yn deall bod yr anochel wedi dod a bod rhaid symud yr Indiaid a hynny er mwyn eu gwarchod yn ogystal â sicrhau tir i'r setlwyr gwyn, nid oedd yn hapus gyda'r gorchymyn. Doedd Carson ddim yn gallu credu y byddai'r Cotiau Glas yn anfon y Navaho i dir gwael ac anffrwythlon – yn amlwg nid oedd wedi gweld Bosque Redondo cyn ceisio eu symud yno. Cyn mynd i Geunant de Chelley i siarad â'r Navaho mae'n tynnu ei lifrai ac yn gwisgo'i ddillad ei hun – mae'n amlwg yn deall eu harferion ac yn gwybod y bydd gweld lifrai'r Cotiau Glas yn creu drwgdeimlad yn syth.

Wrth egluro cynllun y Cotiau Glas i symud y Navaho i Bosque Redondo wrth Manuelito mae Kit yn siarad yn agored a gonest. Mae'n dweud wrth Manuelito ei fod yn well i'r Navaho dderbyn y cynnig i symud o'u gwirfodd oherwydd os na wnânt fe ddaw'r Cotiau Glas i'w symud p'run bynnag a fydd hi ddim yn hawdd wedyn.

Nid yw Kit yn gallu credu nad yw Carleton yn gweld mai celwydd yw adroddiad Dicks yn dilyn ei ymosodiad ar wersyll yr Apache a threisio Haul y Bore. Mae Kit yn gwneud cwyn swyddogol yn erbyn Dicks.

Carson sy'n cyflwyno'r syniad i Carleton o sut i symud y Navaho o'u cartref drwy ddifa'r cnydau yn Ceunant de Chelley. Mae ei gynllun o wneud hynny yn dangos ei fod yn adnabod yr Indiaid yn dda ac yn gwybod sut i'w taro yn eu man gwan er mwyn eu trechu.

Mae Carson yn credu ei fod mewn gwirionedd yn achub yr Indiaid drwy eu symud o'u tiroedd. "Yr unig ddewis, mewn gwirionedd, oedd y lleiaf o ddau ddrwg" – os nad oedd y Navaho yn symud i'r Bosque Redondo roedden nhw i gyd yn mynd i gael eu lladd.

Mae'n teimlo fel dianc o'r llanast hwn ond mae'n gwybod yn ei yn galon y bydd yn aros oherwydd ei fod o'n *perthyn* yma. Caiff Carson ei ddal yn cysgu "fel hen wraig" gan Cochise a'i lusgo tu ôl i geffyl at Geronimo. O flaen Geronimo, yn garcharor, cawn ei hanes gyda'r Indiaid. Dywed Carson hefyd iddo fod yn dyst i un o benaethiaid enwog llwyth y Cheyenne sef Honii-Wotoma (Clogyn Blaidd) yn gwneud Dawns yr Haul ar fynydd sanctaidd ym Mynyddoedd Dakota. O glywed yr hanes hwn, hanes y mae Geronimo yn amlwg yn gyfarwydd ag ef, mae Geronimo yn teimlo iddo wneud cam â Carson.

Pan mae'r Navaho yn cyrraedd Ffort Defiance i ildio mae Carson yn poeni'n syth a fyddant yn cael eu trin yn deg. Mae Carson yn siarad â Herrero Grande a Manuelito cyn iddyn nhw fynd i drafod telerau ildio gyda Carleton ac unwaith eto mae'n amlwg yn poeni amdanynt ac yn rhoi cyngor doeth iddyn nhw sut i beidio ag ildio'r cyfan yn syth. Fe ddywedodd ei fod wedi aros oherwydd ei fod yn teimlo ei fod yn *perthyn* ac yma y mae'n profi hynny – mae fel pe bai'n edrych ar eu hôl nhw.

Mae'r olygfa y bore y bu rhaid i Carson fynd i'r Ceunant i hebrwng y mil o Navaho i Ffort Defiance yn ddirdynnol a thrwy'r olygfa hon mae hi'n amlwg bod Carson mewn gwewyr meddwl ofnadwy.

Pan ddiflannodd bechgyn ifanc y Navaho wedi iddyn nhw ddwyn ceffylau'r Cotiau Glas o'r gwersyll y tu allan i Ffort Defiance roedd Carson yn gwybod mai cynllwyn oedd hwn i Manuelito ddianc yn ogystal. Mae'n bwysig nodi yma i Carson adael i'r cynllwyn hwn lwyddo er mwyn i Manuelito gael dianc.

Er ei fod yn casáu Dicks mae Carson yn "tynnu'i het" iddo am wneud y gwaith erchyll o gladdu meirwon a chasglu'r blancedi i'w llosgi. Ond pan ddosbarthodd Dicks a'i ddynion y blancedi a oedd wedi'u heintio â'r frech wen i'r Navaho aeth Carson yn wyllt gacwn. Dyma'r hoelen olaf yn yr arch o safbwynt perthynas Dicks a Carson a thrawodd Carson ef â charn ei wn. Mae Carson yn cloi Dicks yn yr Ystafell Warchod yn dilyn y digwyddiad hwn ac yn trefnu bod y Navaho yn cael blancedi glân yn lle'r rhai heintus.

Pan mae Carson yn cael ei arestio gan Carleton am garcharu Dicks heb ei ganiatâd mae Carson yn estyn cyllell ac yn torri ei ysgwydd-ddarnau gan ddweud, "Y mae perthyn i'r un gatrawd â Dicks yn troi fy stumog, syr!"

Pan mae Dicks yn clywed gan Carleton bod Carson yn wynebu cwrt-marsial dywed "Mae o'n rhy feddal i fod yn filwr, syr". Yma mae Dicks yn awgrymu bod cydwybod gan Carson, ei fod yn poeni gormod am yr Indiaid oherwydd ei fod yn perthyn iddyn nhw.

Efallai y dylai Carson fod wedi dilyn ei reddf a gadael yr Indiaid ar drugaredd y Cotiau Glas. Ond wrth gwrs ni allai cydwybod Carson adael iddo wneud hynny a dyna pam y mae mewn cell yn y rhan hon o'r nofel.

Bydd Carson yn ennyn parch ac edmygedd ei gyd-filwr. Y dystiolaeth bendant o hyn yw pan fydd y Corporal sy'n ei warchod yn rhoi gwn ar ei blât er mwyn ei alluogi i ddianc.

Cyn tynnu ei wn arno mae Carson yn dychryn Carleton drwy awgrymu y dylai'r Cyrnol Canby fod yn rhan o'i gwrt-marsial. Mae'n amlwg bod Carson yn deall y berthynas rhwng Canby a Carleton a bod ar Carleton ofn Canby.

Mae Carson yn penderfynu marchogaeth i Geunant de Chelley wedi dianc o Ffort Defiance. Mae hwn yn benderfyniad diddorol iawn gan fod Carson fel pe bai'n ceisio gwneud iawn am fethu rhwystro'r Cotiau Glas rhag gorfodi'r Navaho i adael y Ceunant drwy fynd yno cyn mynd i'w helpu ar y eu taith erchyll i'r Bosque.

Mae Chico yn siarad â Carson fel brawd iddo ac mae Carson yn agor y graith ar ei law yntau fel arwydd i Chico y bydd yn ei gynorthwyo i sicrhau bod y Navaho yn cyrraedd y Bosque yn ddiogel ac y byddan nhw'n dial ar Dicks gyda'i gilydd.

Pan aeth Carson i Ffort Defiance i gasglu Dicks er mwyn dial arno mae'n dweud wrtho ei fod yn dial arno yn enw Chiquito.

Y Capten Victor Dicks

Capten ym myddin y Cotiau Glas yw Victor Dicks. Mae'n ŵr mawr cydnerth tua deugain a phum mlwydd oed a barf goch yn cuddio'r rhan fwyaf o'i wyneb. Mae'n cnoi baco ac mae ei ddannedd yn fudr oherwydd hynny. Mae ganddo graith wen o dan ei lygad chwith. Mae'n gymeriad treisgar a chynllwyngar. Rydym yn cael hanes amdano yn twyllo'r Apache drwy gynnig anrhegion ac yfed wisgi gyda nhw ac yna'n eu saethu'n farw. Mae Dicks yn hoff iawn o eiriau'r Cadfridog Sherridan, "Yr unig Indiad da oedd Indiad marw".

Pan ymosododd Dicks ar wersyll o Indiaid Apache treisiodd un o'r merched (Haul y Bore) o flaen ei ddynion ond cyn hynny fe roddodd ei gleddyf drwy stumog ei phlentyn bach saith niwrnod oed (Chiquito) ac yna torri ei ben o flaen ei fam. Mae ei weithredoedd yn erchyll a'i ymddygiad yn ffiaidd.

Mae Dicks yn amlwg yn arwain ei ddynion drwy ofn a bygythiadau. Mae'n rhaid i'w ddynion naill ai fod yn mwynhau trais neu'n ofni codi eu llais yn erbyn ei weithredoedd. Saethodd Dicks un o'r sgowtiaid a fu'n ei helpu ef a'i filwyr i ganfod gwersylloedd yr Indiaid a saethodd Chico yn ei bennau gliniau heb feddwl ddwywaith. Cafodd bleser mawr yn poenydio Chico, sy'n adlewyrchu'r elfen sadistaidd i'w gymeriad.

Mae'r adroddiad a gyflwynodd Dicks i Carleton yn dilyn ei ymosodiad ar wersyll yr Apache a threisio Haul y Bore yn gelwydd i gyd ac yn adlewyrchu llwfrdra ei gymeriad. Mae ymateb Carson wedi iddo glywed yr adroddiad yn cadarnhau hyn, "Mae'r dyn yn gelwyddgi, syr!"

Mae Dicks yn cael ei anfon gan Carleton i ddifa Ceunant de Chelley. Mae'n ansicr am y tro cyntaf yn y nofel wrth wynebu mawredd y Ceunant ac nid yw'n siŵr a yw'n arwain ei ddynion i drap ai peidio. Mae'n gwthio ei hun yn ei flaen i wneud y gwaith o ddifa'r Ceunant gan ddweud wrtho'i hun mai "job o waith" sydd ganddo ef a'i filwyr. Gweithiodd ef a'i filwyr yn galed iawn i ddinistrio'r Ceunant. Cafodd Dicks bleser mawr yn gwneud y gwaith hwn.

Gwirfoddolodd i fynd i ysbytai'r fyddin i gladdu cyrff meirwon y Rhyfel Cartref ac i losgi'r dillad gwely a'r blancedi rhag i'r frech wen ledaenu.

Roedd Dicks yn cam-drin yr Indiaid yn y gwersyll y tu allan i Ffort Defiance. Carleton: "Milwr heb ddim rhwng ei glustiau oedd Dicks, ond roedd o'n filwr da."

Wedi iddo ddosbarthu'r blancedi wedi'u heintio â'r frech wen i'r Navaho y tu allan i'r Ffort mae wrth ei fodd ac yn gwneud dawns ryfel ar ganol llawr y barics gyda blanced amdano. Pan mae Carson yn ei herio ynglŷn â'i ymddygiad ei ateb coeglyd iddo yw, "Rhoi ychydig o gynhesrwydd i gyfeillion yr Is-gyrnol, syr!" Dyma pryd y mae Carson yn ei daro ar draws ei wyneb â'i wn. Mae Dicks yn cael ei gloi yn yr Ystafell Warchod gan Carson yn dilyn y digwyddiad hwn ac yna'n cael ei ryddhau gan Carleton.

Cyn i Carson gael ei daflu i'r carchar dywedodd, "Y mae perthyn i'r un gatrawd â Dicks yn troi fy stumog, syr!"

Pan mae Dicks yn cael y gorchymyn gan Carleton i ddechrau ar y Daith Faith i'r Bosque dywedodd, "Mi ofala i y cyrhaeddan nhw ben eu taith!" Mae ystyr y dyfyniad hwn yn anelwig ac yn awgrymu y bydd yn lladd nifer ohonyn nhw cyn iddyn nhw gyrraedd y Bosque. Mae'n cael ei ddarlunio fel cymeriad didrugaredd. Mae Carleton yn ei ddefnyddio ar gyfer cyflawni'r gorchmynion o Washington a fydd yn achub ei swydd ef fel Cadfridog.

Mae Dicks yn gwrthod syniad Herrero Grande i helpu'r rhai hen a musgrell ar ddechrau'r Daith Faith drwy eu rhoi mewn wagenni ac mae eisiau iddyn nhw i gyd gerdded yn gynt. Mae Indiaid yn "diflannu" ar y daith ac mae Dicks yn dweud mai "dianc" yr oedden nhw ond mae'n amlwg ei fod yn saethu Indiaid hen a gwan gyda'r nos.

Daeth Dicks ar draws Haul y Bore yn cynorthwyo Quanah ar y Daith ac mae'n tynnu ei wn ar unwaith ac yn amlwg yn mynd i fwynhau ei cham-drin unwaith eto cyn i saeth Chico blannu'i hun yn ei ysgwydd.

Yn ei banig mae'n troi i ddefnyddio merched yr Indiaid fel tariannau i'w warchod ef ei hun a'i filwyr. Mae hon yn weithred cwbl nodweddiadol o'i gymeriad llwfr a didrugaredd.

Cafodd Dicks ei daro'n wael wedi iddo gael ei saethu â saeth gan Chico. Fe blannodd y saeth yn ei ysgwydd a bu'n rhaid iddo roi'r gorau i hebrwng yr Indiaid i'r Bosque. Wedi saith niwrnod yn Ffort Sumner yn gwella mae'n mynd i chwilio am Haul y Bore. Mae'n amlwg bod Dicks yn beio Haul y Bore am ei boen a'r cywilydd o orfod gadael y Daith yn nwylo Capten arall ac mae'n mynd i ddial arni.

Wedi iddo ei chanfod y tu allan i Ffort Defiance unwaith eto mae Dicks yn bygwth Haul y Bore a dyma pryd y mae hi'n cyflawni hunanladdiad drwy ddwyn ei wn a gwneud iddo dynnu'r triger. Mae hi'n gwenu wrth farw a hi sy'n cael y fuddugoliaeth.

Lladdwyd y Capten Victor Dicks y tu allan i Ffort Defiance. Aeth Kit Carson i nôl Dicks o'r Ffort wedi'i wisgo yn nillad Carleton. Cafodd ei glymu ar geffyl fel na allai symud a'i gyflwyno i Chico i'w saethu. Roedd Chico, wedi'i glwyfo yn disgwyl amdano wrth goeden a gwn yn ei law. Daeth milwyr o'r Ffort i chwilio am Dicks a dod o hyd iddo ar y ceffyl gyda Chico. Wrth i'r milwyr saethu Chico, saethodd Chico Victor Dicks a "diffoddodd haul y bore" – llinell glo y nofel.

Manuelito (1818–1893)

Un o benaethiaid llwythau'r Navaho a oedd yn cael eu galw yn ricos yw Manuelito. Ef yw tad Haul y Bore a gŵr Juanita. Roedd e'n ŵr cydnerth, ond doedd e byth yn gwenu ac roedd golwg flin ar ei wyneb bob amser. Roedd ganddo lygaid treiddgar ac roedd yn gwisgo rhwymyn gwyn o amgylch ei ben. Roedd ganddo geg fain uwchben gên sgwâr.

Mae cariad ei ferch tuag ato yn amlwg ar dudalen 45 pan fo Haul y Bore yn ei gofio, "Yn ceryddu, yn canmol, yn cymell ac yn cydymdeimlo" a cheir golygfa fer bwysig yn y nofel pan mae Manuelito yn golchi Haul y Bore, "Merch annwyl i!" llefodd. "Fe gest blentyn? Fe gest hefyd ddolur."

Mae'n byw ar ei nerfau yn y nofel ac yn estyn am ei reiffl pan mae'n clywed sŵn ceffylau. Taflodd Manuelito yr esgidiau a dderbyniodd yn anrheg gan Cyrnol Canby i'r tân mewn gweithred symbolaidd yn dynodi nad oedd am dderbyn y cytundeb heddwch a wnaed â'r Cotiau Glas.

Manuelito, nid Herrero Grande, pennaeth y ricos, sydd yn siarad â Kit Carson gyntaf pan ddaw Carson i drafod symud i'r Bosque ac mae Manuelito yn deall i'r dim beth yw cynlluniau'r Cotiau'r Glas a bod tir y Bosque Redondo yn dda i ddim – nid yw'r Cotiau Glas yn gallu taflu llwch i'w lygaid ef.

Mae'n gwneud sawl araith i ysbrydoli ei lwyth yn y nofel. Manuelito sydd biau'r geiriau "am nad ydan ni'n ddigon o ddynion i ddweud 'NA'!" Armijo, un o'r ricos fu'n gyfrifol am danio'r araith hon ac roedd Manuelito ar dân yma i geisio perswadio'r Navaho i ymladd a dangos yr haearn yn eu gwaed. Roedd peidio â gadael Ceunant de Chelley yn dawel yn bwysig iawn iddo oherwydd bod y Ceunant yn symbol o bopeth a gafodd y Navaho gan eu cyndeidiau.

Er ei fod yn ffyrnig yn erbyn penderfyniad Herrero Grande i ildio i'r Cotiau Glas mae Manuelito yn derbyn ei benderfyniad oherwydd mai dyma draddodiad y Navaho, sef derbyn penderfyniad pennaeth y ricos.

Er bod Herrero yn credu na fyddai neb gwell na Manuelito i gymryd mantell arweinydd oddi arno mae'n credu ei fod o'n "fyrbwyll." Mae Herrero yn rhoi swyddogaeth bwysig iawn i Manuelito, sef dewis tua hanner cant o fechgyn i fynd i chwilio am Chico, Geronimo a Cochise a dwyn bwyd er mwyn cynnal y llwythau o du allan i'r gwersyll y tu allan i Ffort Defiance.

Manuelito, nid Herrero Grande, sy'n mynnu bod Carleton yn rhoi bwyd, lloches a chynhesrwydd i'r Indiaid y tu allan i'r Ffort mewn tri diwrnod neu fe fyddan nhw'n dychwelyd i Geunant de Chelley, "I farw os bydd rhaid."

Cynllwyn Manuelito oedd i adael i'r bechgyn ifanc adael y gwersyll tu allan i Ffort Defiance ac yna gwneud i Carleton adael iddo fynd ar eu hôl. Roedd Carson yn meddwl mai cynllwyn oedd hwn ac fe groesodd ei feddwl ar y pryd "mai hen lwynog cyfrwys oedd Manuelito."

Haul y Bore

Manuelito, un o ricos llwyth y Navaho yw ei thad a Juanita yw ei mam wen ac mae brodyr ganddi. Roedd Haul y Bore yn gwersylla gyda'r Apache, llwyth ei gŵr Chico, pan roddodd enedigaeth i'w phlentyn cyntaf, sef ei mab Chiquito (neu "Chico bach"). Cafodd ei threisio gan y Capten Victor Dicks a chafodd ei mab wythnos oed ei ladd o flaen ei llygaid. Llwyddodd i ddianc rhag cael ei lladd ei hun gan y Cotiau Glas drwy daro Dicks ar ei ben â charreg ("doedd hi ddim yn garreg fawr ond roedd hi'n galed") a'i frathu yn ei wddf cyn rhedeg am y coed.

Cafodd ei tharo'n fud wedi i'w thad Manuelito ei darganfod a gofalu amdani a dim ond sgrechian enw "Chiquito" a wnâi.

Mae arni ofn mawr beth fydd ymateb Chico i farwolaeth Chiquito. Mae hi'n ofni y bydd yn ei beio hi am adael iddo gael ei ladd. Ar ddiwedd y nofel mae Haul y Bore yn cyflawni hunanladdiad heb feddwl ddwywaith ynglŷn â'r weithred.

Mae Haul y Bore wedi aros ar ôl yng Ngheunant de Chelley yn cuddio gyda Barboncito a'r gweddill yn yr ogofâu pan ddaw Dicks a'i filwyr i ddinistrio'r cyfan. Unwaith eto, mae hi'n gweld mwy o drais erchyll sy'n sicr o gael effaith ar ei chymeriad.

"Dydi hi byth yn rhy hwyr i ladd y Cotiau Glas" yw geiriau Haul y Bore, sy'n adlewyrchu dewrder a chryfder ei chymeriad. Prin iawn yw'r merched yn y nofel ond merch unigryw ac arbennig iawn yw Haul y Bore. Mae hi'n cwestiynu ac yn herio'r rhai sydd mewn awdurdod ac mae Barboncito yn dod i sylweddoli mai hi oedd yn iawn ac y dylai fod wedi gwrando arni'r tro cyntaf. Dywed Barboncito wrthi, "Rwyt ti'n wir yn ferch i'th dad!"

Cyn i Manuelito adael y gwersyll y tu allan i Ffort Defiance i chwilio am Chico, Geronimo a Cochise mae'n mynd i weld Haul y Bore a gofyn iddi drefnu bod un person ifanc yn gofalu am bob hen berson yn y gwersyll tra y bydd ef i ffwrdd. Mae'r tad yn rhoi cyfrifoldeb mawr i'w ferch gan ddweud wrthi, "mi wn mai ti fydd y cryfder ymhlith y merched."

Pan ddaw Chico i'w chasglu i fynd i Mecsico at y Nedni dros y gaeaf gyda Geronimo, nid yw Haul y Bore yn mynd gydag ef oherwydd mae hi wedi addo i Manuelito y bydd yn aros gyda'i phobl.

Mae Haul y Bore yn cerdded y Daith Faith i'r Bosque gyda Quanah ac yn sicr yn cael nerth i gerdded o wneud hynny. Mae'r ddwy yn amlwg yn cynorthwyo'i gilydd wrth gerdded. Mae Haul y Bore yn edmygu Quanah yn fawr gan ddweud wrthi, "Biti na fyddai rhywfaint o ysbryd hen wragedd yr Apache ynon ni i gyd!"

Mae Haul y Bore yn dangos ei dewrder unwaith eto drwy achub bywyd Quanah. Mae hi'n sefyll rhwng chwip y milwr a Quanah ac yn syllu i fyw llygaid y milwr.

Wrthi'n ceisio achub Quanah oedd Haul y Bore pan welodd Dicks hi unwaith eto. Nid yw hi'n dweud dim wrtho, sy'n nodweddiadol o'i chymeriad. Mae hi'n sefyll o flaen Dicks yn gwbl lonydd a hunanfeddiannol gan gadw ei theimladau dan glo.

Yn y panig wedi i saeth Chico daro ysgwydd Dicks mae Haul y Bore yn gweld ei chyfle i ddianc ac mae hi'n cael ei chynorthwyo i redeg gan Carson – nid yw hi'n deall pam bod "un o'r Cheyenne" yn ei helpu.

Wedi i Carson ei gadael cafodd Haul y Bore ei dal unwaith eto.

Mae Haul y Bore yn disgwyl y tu allan i Ffort Defiance ar ddiwedd y nofel pan ddaw Dicks i chwilio amdani.

Chico

Cafodd ei rieni eu lladd gan y Mecsicaniaid pan oedd tua phymtheg mlwydd oed a chafodd ei fabwysiadu gan Geronimo, un o benaethiaid llwyth yr Apache. Gwelodd Geronimo ei fod yn "heliwr a rhyfelwr cadarn" ac mae'n cael ei baratoi ar gyfer bod yn bennaeth yn y dyfodol. Ar ddechrau'r nofel mae tua phedair ar hugain mlwydd oed ac enw ei geffyl yw Cwmwl Gwyn. Mae'n ŵr i Haul y Bore, sef merch un o ricos llwyth y Navaho, Manuelito. Mae Manuelito hefyd yn credu y bydd Chico yn bennaeth ar yr Apache wedi dyddiau Geronimo. Cafodd Chico a Haul y Bore fab o'r enw Chiquito ond ni chafodd Chico gyfle i weld ei fab yn fyw, dim ond gweld ei goeden. Cafodd yr hanes am dreisio'i wraig a lladd ei blentyn gan yr hen wraig ddoeth Quanah ac mae'n dial ar y Capten Victor Dicks a'i ddynion ar ei ben ei hun gan ladd nifer ohonyn nhw drwy daflu casgen yn llawn blaenau saethau a phowdr du i dân eu gwersyll. Mae'n cael ei ddal gan Dicks a'i adael i farw ond mae'n ennyn parch sgowtiaid y Cotiau Glas, yr Arapaho hanner brid, ac maen nhw'n achub ei fywyd cyn i'r bleiddiaid ei fwyta'n fyw.

Cafodd ei saethu yn ei bennau gliniau gan Dicks cyn ei adael i farw ac mae hyn yn golygu bod gwendid mawr yn ei goesau drwy'r nofel – daw hyn i'r amlwg wrth ddwyn gwartheg yn Albuquerque.

Wrth drafod ei gynllun ar sut i ddial eto ar y Cotiau Glas gydag un o sgowtiaid yr Arapaho, Tanuah, mae ei eiriau yn adlewyrchu ei gymeriad, "Tyrd ti â cheffyl i mi, Tanuah, ac fe gei di weld pa mor anabl ydw i!" Mae'n defnyddio'r modd gorchmynnol ac mae penderfyniad yn ei lais. Dyma lais cymeriad awdurdodol sy'n ein hatgoffa o Geronimo. Mae gwaed arweinydd yn sicr yn Chico.

Chico a dau arall sy'n gyfrifiol am y cyrch i ddwyn gwartheg yn Albuqerque. Mae'r cyrch hwn yn rhan o gynllun Geronimo i baratoi Chico ar gyfer bod yn arweinydd. Mae'n amlwg iawn bod tân dialedd ym mrest Chico ac ychydig iawn o waith sydd ar ôl i'w baratoi ar gyfer bod yn arweinydd erbyn y rhan hon o'r nofel. Mae Chico yn bwriadu dial drwy "daro'r dyn gwyn" a'r Cotiau Glas mor aml â phosib. Mae hanes y cyrch i ddwyn y gwartheg yn Albuquerque yn ymddangos fel pe bai'n gyrch llwyddiannus ar y dechrau ond erbyn i Chico ddychwelyd i Geunant de Chelley rydym yn gweld bod y cyfan yn fethiant a bod y Cotiau Glas wedi llwyddo i'w trechu unwaith eto.

Mae Chico'n torri ar draws Herrero Grande mewn cyfarfod o ricos y Navaho gan ddangos cryfder ei gymeriad a'i awydd i leisio'i farn – mae'n arweinydd naturiol. Pan mae Herrero yn ceisio ei ddarbwyllo i ildio ei ymateb yn syth yw, "Fydda i na Haul y Bore ddim yn dod!" Yma gwelwn fod y ddau yn un a bod Chico yn siarad ar ran Haul y Bore o flaen ei thad.

Nid yw Chico yn ildio gyda'r Navaho yn Ffort Defiance ac nid yw chwaith yn bwriadu mynd i Mecsico gyda Geronimo heb Haul y Bore, "Mae'n ddyletswydd arna i ei gwarchod!" meddai.

Mae Chico'n cael ei siomi gan benderfyniad Haul y Bore i aros gyda'i phobl yn hytrach na dod gydag ef i Mecsico ond mae'n parchu ei phenderfyniad gan y byddai yntau hefyd wedi gwneud yn union yr un peth.

Mae Chico'n siarad iaith yr Apache â Carson ac yn ei drin fel brawd. Mae gan Chico barch at Carson am ei fod wedi ceisio achub cam yr Indiaid ac mae'r ddau'n penderfynu dial ar Dicks gyda'i gilydd.

Mae Chico'n gweld Dicks ar fin taro Haul y Bore ac mae'n saethu saeth ato. Glaniodd yn ysgwydd Dicks ac mae Dicks yn cael ei daro'n wael o ganlyniad.

Mae Chico'n cael ei frifo gan gleddyf yn ei stumog yn dilyn y sgarmes pan gafodd Haul y Bore ac eraill eu dal unwaith eto. Nid yw'n marw'n syth a rhywsut neu'i gilydd, er ei anafiadau mae Chico'n llwyddo i gyrraedd Ceunant de Chelley ble mae Carson a Necwar yn disgwyl amdano – grym penderfyniad a'i cariodd yno. Necwar sy'n disgrifio hunanladdiad Haul y Bore iddo.

Mae Kit Carson eisiau i Chico ddienyddio Victor Dicks ac yn mynd ag ef i eistedd wrth goeden y tu allan i Ffort Defiance. Mae Carson yn rhoi gwn yn llaw Chico i ddisgwyl am Dicks. Mae Carson yn dod â Dicks, wedi ei glymu ar geffyl, yn anrheg i Chico. Mae Chico'n falch iawn o gymorth Carson i ddial ac yn "gwenu fel hogyn drwg" pan ddaw Carson â Dicks ato o'r Ffort. Mae Chico'n cael ei saethu gan y Cotiau Glas wedi iddo'n gyntaf saethu Dicks a llwyddo i ddial am dreisio Haul y Bore a llofruddiaeth ei fab, Chiquito.

James Henry Carleton (1814 – 1873)

Cadfridog ym myddin y Cotiau Glas yw Carleton. Daeth Carleton yn gyfrifol am Ffort Defiance yn dilyn rhyddhau'r Cyrnol Edward Canby o'i ddyletswyddau yno yn 1862. Cyn hynny bu'n gyfrifol am symud 2000 o Apache o ddyffryn y Rio Grande i'r Bosque Redondo. Arweinodd Carleton y Capten Victor Dicks a'r Capten Paddy Graydon i drechu llwyth o Apache, y Mescaleros (fe'i twyllodd drwy ffugio heddwch) gan ladd yr arweinwyr a chludo pum cant a hanner ohonyn nhw i'r Bosque – gwnaeth hyn cyn dechrau ar y gwaith o symud y Navaho. (Nid yw'r stori hon yn hanesyddol gywir ond mae'n hanesyddol gywir bod y Mescaleros wedi cael eu symud i Bosque Redondo cyn y Navaho.) Gadawodd i Kit Carson wneud y gwaith o symud y Navaho oherwydd nad oedden nhw mor dreisgar â'r llwythau eraill ac roedd angen bod yn fwy diplomyddol a siarad gyda nhw. Efallai bod Carleton yn adnabod ei gymeriad ei hun yn dda – nid oedd yn dda am siarad â'r Indiaid ac efallai y byddai wedi delio â nhw ei hunan pe bai'r Navaho yn fwy treisgar. Mae'n cyhuddo Carson o siarad â'i galon (yn hytrach na'i ben) wrth drafod yr Indiaid.

Mae awgrym bod naill ai ofn Dicks ar Carleton neu ei fod yn cau ei lygaid i'w weithredoedd wrth ymdrin â'r Indiaid ac nid yw Carson yn credu y bydd Carleton yn gwneud dim i Dicks.

Ymateb Carleton i adroddiad Dicks yn dilyn ei ymosodiad ar wersyll yr Apache a threisio Haul y Bore yw, "Mae pethau fel hyn yn digwydd mewn rhyfel." Mae'r dyfyniad hwn yn dangos sut y gall Carleton esgusodi a derbyn unrhyw drais yn erbyn yr Indiaid. Mae'n credu mai milwr ydyw mewn rhyfel ac felly rhaid derbyn bod pobl ddiniwed a diamddiffyn yn mynd i gael eu lladd. Pan mae Carson yn cwestiynu hyn mae Carleton yn dangos ei awdurdod ac yn "sgwario" at Carson gan fynnu ei fod yn dilyn ei orchmynion. Serch hynny, mae Carleton yn amlwg yn parchu Carson gan ei fod yn gofyn iddo, "Beth fyddi di'n ei wneud nesa?" – mae'n amlwg nad yw Carleton yn siŵr sut i ddelio â Dicks fel person nac fel milwr.

Gwnaeth gamgymeriad mawr adeg brwydr Ffort Defiance. Wrth roi gorchmynion i'r Capten Gregory mae'r milwr yn ei gymeriad yn mwynhau'r syniad o frwydro ond yn ei falchder diystyrodd gryfder a grym dialedd Geronimo. Mae'r cwestiynu yn dilyn y frwydr hon yn adlewyrchu gwendidau mawr yn ei gymeriad, "Oedd o'n rhy feddal hefo'r Indiaid? Tybed?" Yn dilyn y frwydr hon mae Carleton fel pe bai'n ochri mwy â Dicks a'i ddulliau treisgar er mwyn cyflawni gorchmynion yr Arlywydd yn Washington gan ymbellhau oddi wrth Carson a'i barch ef tuag at yr Indiaid. Mae'r awdur fel pe bai'n awgrymu bod yr erchylltra sy'n dilyn a'r Daith Faith ei hun yn arbennig yn deillio o wendidau Carleton a'i amcanion personol yntau i'w brofi ei hun i'r Cyrnol Canby.

Mae'n deall ystyr neges Geronimo pan ddaw'r waywffon a'r plu arni tuag ato – mae'n deall negeseuon yr Indiaid ond nid yw'n deall eu meddwl.

Gwelwn ansicrwydd ei gymeriad eto pan mae'n gofyn i'r Sarjant a oedd ei benderfyniad i ymosod ar Geronimo yn un doeth a'r sarjant yn ofni rhoi'r ateb anghywir iddo.

Pan mae'r Indiaid y tu allan i'r Ffort, mae Herrero Grande a Manuelito yn dod ato i ofyn am gael cadw ceffylau ond mae ei ateb yn negyddol, yn bendant ac yn ddiamwys, "Fe gaen nhw eu bwydo a'u dilladu – dim mwy". Mae Carleton yn galed iawn yma ac yn ymddangos yn fwy caled gyda'r rhai sy'n ddiamddiffyn. Mae Carleton yn anwybyddu cwynion yr Indiaid ynglŷn â Dicks a'i ddynion pan oeddent yn patrolio.

Pan glywodd Carleton fod Carson wedi cloi Dicks yn yr Ystafell Warchod yn dilyn y ffrae ynglŷn â'r blancedi â'r frech wen aeth yn lloerig gan deimlo bod Carson wedi tanseilio ei awdurdod yn y Ffort. Mae Carleton yn gorchymyn i Carson ryddhau Dicks gan ddweud, "Y fi sydd yn gorchymyn restio swyddogion sydd o dan f'awdurdod i – A NEB ARALL!" Yna mae Carleton yn arestio Carson.

Fe wnaeth Carleton gamgymeriad arall yn mynd i weld Carson yn ei gell. Doedd hwn ddim yn benderfyniad doeth o gwbl ac mae'n amlwg nad oedd ei feddwl yn glir. Mae Carson yn llwyddo i'w ddychryn drwy ddweud y dylai'r Cyrnol Canby fod yn rhan o'i gwrt-marsial ac unwaith eto gwelwn nad yw'r berthynas rhwng Carleton a Canby yn un dda a bod ar Carleton ofn Canby.

8. Prif themâu'r nofel

Dial

Dial 1: Chico yn ymosod ar y Cotiau Glas yn dilyn llofruddiaeth Chiquito

Wedi iddo glywed yr hanes erchyll am farwolaeth ei fab (nad yw wedi ei weld) mae Chico yn mynd i chwilio am Dicks a'i ddynion. Cyn mynd mae'n paratoi'n ofalus er ei fod yn cyfaddef nad yw wedi meddwl yn iawn sut i ddial eto. Mae Chico'n gwneud dawns ryfel o amgylch boncyff coeden Chiquito ac yn rhoi gwaed ar ei wyneb. Mae'n gofyn i Usen (duw yr Apache) fod gydag ef wrth iddo ddial. Mae Chico hefyd yn meddwl beth fyddai ei lysdad, Geronimo, yn ei wneud yn yr un sefyllfa ag ef. Yna mae'n cofio am stori Barboncito'r Navaho yn creu hafog mewn gwersyll o filwyr Mecsicanaidd a dyna sut y cafodd Chico'r syniad ar gyfer defnyddio'r gasgen llawn powdr du a blaenau saethau i'w taflu i dân gwersyll y Cotiau Glas.

Dial 2: Y Navaho dan arweiniad Haul y Bore yn amddiffyn Ceunant de Chelley

Pan welodd Haul y Bore y dinistr yr oedd y Cotiau Glas yn ei wneud i'r Ceunant doedd hi ddim yn gallu aros yn yr ogofâu yn cuddio heb wneud dim i amddiffyn bywoliaeth a chartref yr Indiaid. Mae hi'n cynnig i Barboncito, y rico sydd yng ngofal y Navaho yn y Ceunant yn dilyn absenoldeb Manuelito, y dylen nhw ymosod ar y Cotiau Glas ond nid yw Barboncito yn cytuno â hi. Mae Haul y Bore'n barod i beryglu ei bywyd er mwyn amddiffyn ei chartref a thir y Navaho ond nid yw Barboncito yn barod i beryglu bywyd merch Manuelito a bywydau gweddill y llwyth sydd dan ei ofal. Wedi diwrnod o guddio a gweld a chlywed y dinistrio mae Barboncito yn penderfynu gwrando ar gyngor Haul y Bore ac ymosod ar y Cotiau Glas drwy daflu cerrig a chreigiau ar eu pennau o'r ogofâu uwchben wrth iddyn nhw ymadael. Mae deugain o'r Cotiau Glas yn cael eu lladd ond mae dros gant o Navaho hefyd yn cael eu lladd gan fwledi'r Cotiau Glas.

Dial 3: Haul y Bore ar Dicks trwy ddal y gwn i'w thalcen ei hun ac yntau'n ei lladd

Mae Dicks yn llwyddo i gael hyd i Haul y Bore y tu allan i Ffort Defiance yn disgwyl i gael ei chludo i'r Bosque am yr ail dro. Mae Dicks yn dal ei wn o fewn modfeddi i'w hwyneb ac yn ysgyrnygu bygythiadau ati pan fo Haul y Bore yn sydyn yn penderfynu ei bod hi am roi terfyn ar ei bywyd ei hun. Gafaela Haul y Bore yng ngwn Dicks a'i dynnu at ei thalcen ei hun ac mae yntau'n reddfol yn tynnu'r triger a'i lladd. Wrth i'r gwaed lifo fel afon o'r twll du yn ei phen mae Dicks yn gweld gwên ar ei hwyneb a bydd y wên hon yn aflonyddu arno am byth.

Dial 4: Kit Carson yn dial ar Victor Dicks am ei gamdriniaeth o'r Indiaid

Sef y gwenwyno, llwgu, saethu, arteithio a lladd ac am ei drais ar Haul y Bore a llofruddiaeth Chiquito. Mae Carson yn mynd i Ffort Defiance, wedi ei wisgo yn nillad y Cadfridog Carleton i nôl Victor Dicks er mwyn i Chico gael ei ladd. Ychydig o amser sydd gan Chico ar ôl i fyw wedi iddo gael ei saethu ac mae Carson wedi ei osod i bwyso yn erbyn coeden y tu allan i'r Ffort gyda gwn. Mae Carson wedi clymu Dicks ar geffyl ac yn ei gyflwyno i Chico gael ei saethu cyn marchogaeth ymaith. Nid yw Carson yno pan mae milwyr y ffort yn dod i chwilio am Dicks ac yn saethu Chico wrth i Chico saethu Dicks. Mae'r gwrthdaro rhwng Dicks a Carson a'r enghreifftiau erchyll o gam-drin yr Indiaid gan Dicks wedi arwain at y dial hwn.

Gwrthdaro

Pennod 2: Manuelito a Herrero

Un o ricos y Navaho yw Manuelito a phennaeth y ricos i gyd yw Herrero Grande. Mae Herrero yn hen ac mae Manuelito yn teimlo ei fod yn ildio yn rhy rhwydd i orchmynion y Cotiau Glas. Mae Herrero yn gadael i Manuelito leisio ei farn ond mae'n gwybod na fydd Manuelito yn tynnu'n groes i'w benderfyniadau yn y pendraw oherwydd bod Manuelito yn parchu traddodiadau'r Navaho. Mae Manuelito yn llawer mwy penderfynol na Herrero ond mae rhaid iddo dderbyn penderfyniadau Herrero. Efallai bod Herrero yn gadael i Manuelito leisio ei farn ac areithio oherwydd ei fod yn deall ei fod mewn gwewyr meddwl personol o ganlyniad i dreisio ei ferch a llofruddiaeth ei ŵyr bach dan law y Cotiau Glas. Er y gwrthdaro rhyngddynt, mae'r ddau yn deall ei gilydd.

Pennod 4: Carleton a Kit Carson

Mae'r berthynas hon yn un gymhleth ond mae'r gwrthdaro rhwng y ddau gymeriad yn amlwg iawn. Mae'r Cadfridog Carleton yn arweinydd gwan sy'n dibynnu llawer ar eraill i wneud ei benderfyniadau ac mae ganddo ofn cwestiynu a mynd yn groes i unrhyw orchymyn o Washington. Mae Carleton a'r Is-Gyrnol Kit Carson yn hollol wahanol i'w gilydd gan fod cydwybod gan Carson. Mae Carson yn barod i ddilyn gorchmynion ond nid yw'n derbyn bod rhyfel yn esgus dros gyflawni gweithredoedd ysgeler. Pan mae Carson yn gwrthod helpu Carleton rhaid i Carleton droi at y Capten Victor Dicks er mwyn sicrhau bod gorchmynion Washington yn cael eu cyflawni ac wrth gwrs mae hyn yn arwain at fwy a mwy o drais yn erbyn yr Indiaid.

Pennod 6: Indiaid a'r Cotiau Glas

Y gwrthdaro hwn yw canolbwynt y nofel. Yr Indiaid yw'r rhai sy'n ceisio amddiffyn eu ffordd o fyw a'r Cotiau Glas yw'r gelyn sy'n ceisio dwyn eu tiroedd. Mae'r rhyfel rhwng yr Indiaid a'r dyn gwyn yn deillio o gylch cythreulig o ddialedd. Yn y bennod hon pan mae'n rhaid i'r Navaho adael eu cartref yng Ngheunant de Chelley mae'r gwrthdaro yn cyrraedd ei uchafbwynt. Er ei bod hi'n dawel iawn pan mae'r Cotiau Glas yn cyrraedd mae rhai o benaethiaid y Navaho, Manuelito yn arbennig, yn berwi tu mewn ac wrth iddyn nhw adael mae'r ddwy hen wraig sy'n cyflawni hunanladdiad yn dangos cymaint o drasiedi yw'r cyfan i'r llwyth.

Pennod 7: Kit Carson a Victor Dicks

Dau filwr gyda'r Cotiau Glas ydyn nhw, Kit yn Is-Gyrnol a Dicks yn Gapten. Mae'r ddau yn casáu ei gilydd. Mae Carson yn gweld Dicks fel dyn drwg, diegwyddor ac nid yw Dicks yn deall pam mae Carson yn filwr. I Dicks mae Carson yn gyfaill i'r Indiaid, yn wir yn perthyn iddyn nhw ac felly, ym marn Dicks, mae'n ymladd yn erbyn y Cotiau Glas. I Carson mae Dicks yn mwynhau achosi poen ac yn cyflawni gweithredoedd cwbl diegwyddor yn enw rhyfel. Mae'r gwrthdaro rhwng y ddau gymeriad yn cyrraedd ei uchafbwynt pan mae Carson yn taro Dicks â'i wn ac yn ei gloi yn yr Ystafell Warchod yn Ffort Defiance ac o ganlyniad mae'r Indiaid yn ddiogel am ychydig oriau.

Pennod 8: Haul y Bore a Victor Dicks

Mae Dicks yn treisio Haul y Bore a lladd ei phlentyn, Chiquito yn y bennod gyntaf ac yn y bennod olaf mae Haul y Bore yn cyflawni hunanladdiad â gwn Dicks y tu allan i Ffort Defiance. Mae plot y nofel yn dod i fwcl gyda hunanladdiad Haul y Bore ac mae'r wên ar ei hwyneb yn awgrymu mai hi sy'n cael yr oruchafiaeth ar Dicks ac yn ennill y frwydr seicolegol. Mae trais Dicks tuag ati yn arswydus ac rydym yn falch ei bod yn dianc rhag mwy o boen. Gyda'r gwrthdaro hwn, Haul y Bore yw'r diniwed, y diamddiffyn a'r da sy'n cael ei ddifa mewn rhyfeloedd a Dicks yw'r drwg a'r didrugaredd.

Pennod 8: Chico a Dicks

Mae'r gwrthdaro rhwng y ddau gymeriad yma yn cynrychioli dau eithaf y nofel. Dyma'r gwrthdaro rhwng yr Apache ifanc, penboeth a rhyfelgar a hen filwr treisgar a diegwyddor y Cotiau Glas. Trais yw'r unig ganlyniad posibl pan mae'r ddau yma'n cyfarfod. A dweud y gwir, bob tro maen nhw'n cyfarfod yn y nofel mae rhywun yn cael ei ladd neu ei anafu'n ddrwg. Mae llwybrau a theithiau'r ddau drwy'r nofel yn dod i ben y tu allan i Ffort Defiance a chyda cymorth Kit Carson mae Chico yn cael dial yn llawn ar Victor Dicks. Chico yw arwr y nofel hon a Dicks yw ei elyn pennaf. Byddai wedi bod yn anodd i Chico ddial ar Dicks ar ei ben ei hun ac mae Carson yn gwybod hynny. Defnyddiodd Carson Chico er mwyn cyflawni ei ddymuniad ef yn ogystal – cael gwared o'r drwg oedd lladd Dicks i Carson a Chico.

Trais

Pennod 1: Treisio Haul y Bore

Nid golygfa dreisgar yn unig mo hon. Rydym yn cael darlun heddychlon a naws dawel wrth i Haul y Bore eni ei phlentyn, Chiquito ac mae'r olygfa sy'n dilyn gyda'r Cotiau Glas yn ymosod ar wersyll yr Apache yn erchyll o gyferbyniol. Mae'r dyn gwyn yn dod i chwalu'r byd naturiol, heddychlon a dyna pam y mae golygfa lladd Chiquito a threisio ei fam Haul y Bore mor erchyll. Drwy'r erchylltra hwn sy'n ein hatgoffa o olygfeydd mewn ffilmiau cowbois fel "Solider Blue"(1970) mae'r awdur fel pe bai'n creu symbol o drais y dyn gwyn yn erbyn yr Americaniaid brodorol drwy gydol hanes cynnar creu Unol Daleithiau America. Mae Haul y Bore yn symbol o fyd heddychlon yr Indiaid a'u hundod â byd natur ac mae Victor Dicks yn symbol o'r modd y treisiwyd y byd hwnnw gan y dyn gwyn yn enw cynnydd.

Pennod 1: Llofruddiaeth Chiquito

Mae llofruddiaeth y plentyn bychan saith niwrnod oed hwn yn wirioneddol arswydus. O safbwynt plot y nofel mae'n bwysig iawn bod Chiquito yn cael ei ladd fel hyn. Mae Chiquito yn ŵyr bychan i benaethiaid dau lwyth gwahanol o Indiaid, sef y Navaho a'r Apache. Dialedd tad y plentyn, Chico a llwythau'r Indiaid o ganlyniad i'r llofruddiaeth yw'r llinyn arian drwy'r nofel. Mae Chiquito'n cael ei ladd yn sydyn a chwbl ddidrugaredd ac mae ei lofrudd sadistaidd, y Capten Victor Dicks yn mwynhau'r weithred. Symbol yw Chiquito o blant diniwed sy'n cael eu dal a'u lladd mewn rhyfeloedd. Mae Chiquito'n ddiamddiffyn ac nid ydym yn cael cyfle i ddod i'w adnabod fel cymeriad cyn ei farwolaeth sydyn. Mae'n drasiedi erchyll ac er ein bod fel darllenwyr yn cydymdeimlo â'i fam, Haul y Bore, dydyn ni ddim yn gallu uniaethu â'i sefyllfa. Dyma drasiedi rhyfeloedd a sefyllfa druenus y dieuog sy'n cael eu dal yn y canol ym mhob oes.

Pennod 2: Ymosodiad ar Chico

Mae'r ymosodiad treisgar hwn ar Chico yn dod ar ôl ei ymosodiad yntau ar wersyll y Cotiau Glas wrth iddo ddial arnyn nhw am lofruddio ei blentyn a threisio ei wraig. Fel darllenwyr rydym yn cydymdeimlo'n llwyr â chymeriad Chico ac eisiau iddo lwyddo yn ei ddialedd. Rydym yn cael ein dal yn y cylch cythreulig o ddialedd ac rydym eisiau i Victor Dicks ddioddef fel y gwnaeth Haul y Bore a Chiquito. Mae ymosodiad Chico ar y gwersyll yn wallgof o arwrol – un Apache a'i geffyl yn erbyn catrawd cyfan o Gotiau Glas. Rydym yn edmygu ei ddewrder ond mae ymdeimlad o anobaith yn y cyrch hwn o'r dechrau ac mae Chico'n cael ei boenydio'n dreisgar a sadistaidd iawn gan Dicks am ei hyfdra. Er mwyn deall pam mae Chico'n ymosod arnyn nhw ar ei ben ei hun fel hyn, rhaid deall ei gymeriad ac yn amlwg nid yw'n meddwl am ei ddiogelwch ei hun o gwbl yma – dial yn unig sydd ar ei feddwl. Nid yw'n poeni dim am ei ddiogelwch ei hun. Mae Chico yn barod i farw fel y gwnaeth ei fab a bu bron iawn i hynny ddigwydd.

Pennod 8: Lladd yr Indiaid

Mae'r Daith Faith i'r Bosque Redondo yn un o'r digwyddiadau hanesyddol mwyaf poenus yn hanes cynnar Unol Daleithiau America. Cafodd miloedd ar filoedd o Indiaid eu lladd yn ystod y rhyfeloedd yn erbyn yr Americaniaid brodorol ond mae hanes y Daith Faith yn crynhoi'r holl drais a fu yn eu herbyn mewn un digwyddiad. Yn y nofel mae'r Cotiau Glas yn fwriadol yn gwneud i'r Indiaid gerdded i'r Bosque er mwyn i gannoedd ohonyn nhw farw o flinder neu drwy ryw "anffawd" neu'i gilydd ar y Daith. Ceir sôn am lawer yn "dianc" yn ystod y nos ar y Daith a'r Indiaid yn clywed sŵn saethu a wagenni gwag yn dychwelyd. Os mai lladd mwy o Indiaid oedd bwriad y Cotiau Glas drwy eu gorfodi i gerdded y Daith hon yna roedd yn llwyddiant ysgubol ond mae'r llyfrau hanes yn nodi mai methiant fu arbrawf y Bosque Redondo ac unwaith eto rydym yn gweld sut y mae rhyfel yn arwain at drasiedïau erchyll.

Cyfeillgarwch

Cyfeillgarwch 1: Y Navaho a'r Apache

Dau lwyth o Indiaid gwahanol iawn oedd y rhain. Roedd natur llwyth yr Apache yn llawer mwy rhyfelgar na'r Navaho. Byddai'r Navaho eisiau siarad a chymodi cyn ymladd ond roedd yr Apache yn llawer mwy parod i ymosod yn syth. Er eu bod mor wahanol eu natur y maen nhw'n "gefndryd" i'w gilydd ac roedd aelodau unigol o'r llwythau yn gallu dod yn "frodyr" i'w gilydd drwy uno dwy graith agored ar gledr llaw a rhannu gwaed. Drwy ddefnyddio'r geiriau "cefndryd" a "brodyr" mewn perthynas â'i gilydd mae'n amlwg bod y berthynas hon yn fwy na chyfeillgarwch – maen nhw'n *perthyn* i'w gilydd. Pan mae Haul y Bore a Chico yn priodi mae'r ddau lwyth yn cael eu huno ac roedd hon felly yn briodas arbennig. Roedd hi'n briodas rhwng y llwythau yn ogystal â bod yn briodas rhwng dau unigolyn. Mae'r syniad hwn o *berthyn* yn ymestyn at y tir hefyd gan fod y llwythau yn un â'r ddaear yn ogystal ond nid ydynt yn berchen arno.

Cyfeillgarwch 2: Kit Carson a'r Indiaid

Mae Kit Carson yn teimlo ei fod yn perthyn i'r Indiaid ac yn rhannu eu poen a'u brwydr yn erbyn y dyn gwyn. Mae'r berthynas rhwng Carson â'r Indiaid yn ddiddorol iawn gan fod llawer o ymchwilwyr bellach yn credu i Carson briodi dair gwaith. Drwy fyw gyda'r Indiaid mae Carson yn dod i ddeall eu ffordd o fyw a pharchu eu traddodiadau. Mae Carson yn ymuno â byddin y Cotiau Glas er mwyn dileu caethwasiaeth yn nhaleithiau'r De ond mae'n ei gael ei hun yng nghanol brwydr arall. Mae hon yn frwydr yn erbyn yr Indiaid er mwyn eu symud o'u tiroedd ar gyfer y setlwyr gwyn ac oherwydd ei gyfeillgarwch tuag atynt, ond efallai yn fwy na hynny, oherwydd ei fod yn *perthyn* iddyn nhw mae hyn yn anodd iawn iddo. Yn wir, yn y nofel rydym yn gweld bod ei gyfeillgarwch tuag at yr Indiaid yn drech na'i ffyddlondeb tuag at y Cotiau Glas yn y diwedd.

Cyfeillgarwch 3: Carson a Chico

Rydym yn gweld y dyn gwyn a'r Indiaid yn agor y graith wen ar gledr eu dwylo a rhannu gwaed fel arwydd eu bod yn "frodyr". Dyma un o ddelweddau mwyaf grymus y nofel hon ac mae'r undod hwn rhwng Kit Carson a Chico yn symbol o'r hyn a allai fod wedi bod yn bosib rhwng y dyn gwyn a'r Indiaid. Mae awdur y nofel hon eisiau i ni weld symbolaeth yr uno gwaed. Er bod Carson a Chico yn uno â'i gilydd yn "frodyr" er mwyn dial, mae yma gariad brawdol. Mae Carson yn teimlo i'r byw bod yr hyn sydd wedi digwydd i Chico yn erchyll ac mae'n derbyn ei fod ef yn gyfrifol am lawer o'i boen. Mae Carson yn profi gwewyr meddwl ofnadwy wrth hebrwng y Navaho o Geunant de Chelley a thrwy'r uniad hwn â Chico, yn bersonol y mae'n credu ei fod yn llwyddo i wneud ychydig o iawn am y modd y mae'r Cotiau Glas wedi trin yr Indiaid. Ond wrth gwrs, does dim modd talu'r pris yn llawn.

Cyfeillgarwch 4: Manuelito a Herrero Grande

Mae perthynas y ddau yma'n gymhleth iawn ac er bod gwrthdaro cyson rhyngddyn nhw yn y nofel, yn sicr mae yma gyfeillgarwch grymus. Rico, neu un o benaethiaid llwyth y Navaho yw Manuelito a Herrero Grande yw arweinydd holl ricos y Navaho. Felly, mae'n rhaid i Manuelito wrando ar eiriau Herrero a chytuno â'i benderfyniadau. Mae Manuelito yn gwrando ar eiriau Herrero ond nid yw'n gallu derbyn ei benderfyniadau bob tro ac mae'n dadlau'n gyson ag ef. Mae Herrero, oherwydd bod natur llwyth y Navaho ynddo, yn rhy barod i drafod ym marn Manuelito ac mae yntau eisiau ymosod a dial er mwyn gwarchod eu tir. Roedd gadael Ceunant de Chelley yn brofiad erchyll i'r ddau ohonynt, gyda Herrero yn teimlo nad oedd dewis ond ildio a Manuelito yn methu â derbyn hynny ac eisiau dial ond yn methu gorchymyn ei lwyth i wneud dim. Ond er ei fod yn anghytuno'n gyson â Herrero mae Manuelito yn ufuddhau i'w eiriau yn y pendraw er parch i draddodiadau llwyth y Navaho. Rhaid cofio i Manuelito brofi colled a phoen personol iawn achos mae ei ferch wedi'i threisio a'i ŵyr bach wedi'i lofruddio gan y Cotiau Glas. Efallai bod Herrero yn deall hyn ac yn gadael i Manuelito leisio ei farn a dadlau'n uchel er mwyn iddo gael dygymod â'i wewyr meddwl personol.

Colled

Colled 1: Haul y Bore a Chico yn colli eu mab cyntaf-anedig Chiquito

Mae Chiquito, plentyn bach saith niwrnod oed Haul y Bore a Chico yn cael ei ladd mewn modd erchyll gan y Capten Victor Dicks. Mae'r awdur yn rhoi pwyslais mawr ar ddarlunio llofruddiaeth y babi bach hwn am fwy nag un rheswm. Yn gyntaf mae'n bwysig iawn i blot y nofel oherwydd bod Chiquito yn blentyn pwysig i ddau lwyth o Indiaid ac mae dau lwyth yn teimlo'r golled. Mae gwaed y Navaho (ei fam, Haul y Bore) a'r Apache (ei dad, Chico) yn ei wythiennau ac fe fydd y ddau lwyth yma yn cael eu huno yn y golled ac eisiau dial ar y dyn gwyn am hyn. Bydd y llwythau hefyd yn dod at ei gilydd i ddial o dan arweiniad dau daid Chiquitio, sef Manuelito (tad Haul y Bore) a Geronimo (llysdad Chico) sy'n teimlo'r golled hon yn bersonol. Yn ail mae colli Chiquito yn chwalu cymeriad Haul y Bore ac yn rhoi cyfle i'r awdur gyflwyno teimladau a gwewyr meddwl merch a mam – sy'n gyfle prin iawn mewn nofel mor wrol ryfelgar â hon. Yn olaf mae colli Chiquito yn crynhoi holl erchylltra a thrais y cam-drin fu ar yr Americaniaid brodorol. Plentyn bach diniwed a diamddiffyn oedd Chiquito ac roedd ei lofruddiaeth gan y Cotiau Glas yn gwbl ddireswm. Roedd Chiquito yn drysor gwerthfawr sy'n cael ei ddinistrio gan y dyn gwyn yn union fel y maen nhw'n dinistrio ffordd o fyw a thraddodiadau'r Americaniaid brodorol.

Colled 2: Indiaid brodorol yn colli eu tiroedd a fu yn eu meddiant ers canrifoedd

Mae'r disgrifiad bendigedig a gawn yn y nofel o Geunant de Chelley yn bwysig iawn oherwydd dyma galon llwyth y Navaho. Mae'r Ceunant yn gaer naturiol i'r llwyth ac maen nhw'n dibynnu'n llwyr arno am eu cynhaliaeth. Drwy ddinistrio Ceunant de Chelley mae'r Navaho yn colli popeth. Wrth iddyn nhw adael y Ceunant ac wrth i'r ddwy hen wraig gyflawni hunanladdiad mae'r rico Manuelito yn sylweddoli'r golled. Mae ffordd o fyw'r Navaho, eu traddodiadau a'u hetifeddiaeth gan eu cyndadau yn diflannu – maen nhw'n colli eu hunaniaeth a phopeth sy'n bwysig iddyn nhw. Mae'n ddiddorol sylwi mai Kit Carson roddodd y syniad o ddifetha'r Ceunant i'r Cadfridog Carleton er mwyn torri ysbryd y Navaho – mae'n amlwg felly bod Carson yn adnabod yr Indiaid yn dda.

Colled 3: Carleton yn colli ei awdurdod a'r grym fu ganddo

Mae hyn yn digwydd oherwydd ei benderfyniadau byrbwyll (e.e. adeg Brwydr Ffort Defiance). Cymeriad gwan yw'r Cadfridog Carleton sy'n dibynnu llawer ar eraill er mwyn gwneud penderfyniadau, yn arbennig yr Is-Gyrnol Kit Carson. Pan mae Carson yn troi ei gefn arno ac mae'n wynebu ymosodiad ffyrnig ar Ffort Defiance gan yr Indiaid dan arweiniad Geronimo, mae Carleton yn gwneud penderfyniad byrbwyll a chamgymeriad mawr. Mae'r Cotiau Glas yn colli tua dau gant o filwyr yn y frwydr hon ac mae Carleton yn colli ei awdurdod. Mae'r Cyrnol Canby yn gwrthod anfon mwy o filwyr ato ac mae'r setlwyr gwyn yn cwyno nad yw'r fyddin dan arweiniad Carleton yn Ffort Defiance yn eu gwarchod. Mae Carleton dan bwysau aruthrol felly ac mewn perygl o golli ei swydd. Mae'r lle blaenllaw mae Victor Dicks yn ei gael ym mhenderfyniadau Carleton yn y rhannau sy'n dilyn yn y nofel ac yn arbennig yn y trais sy'n arwain at ac yn ystod y Daith Faith i'r Bosque Redondo yn brawf pellach o wendid cymeriad Carleton – mae'n barod i aberthu unrhyw egwyddor rhag colli ei safle a'i swydd. Mae llawer o'i ddynion yn gweld hyn a dyna pam mae'r olygfa pan mae'r Corporal yn rhoi gwn i Kit Carson ddianc o'r carchar yn y ffort mor bwysig.

Colled 4: Carson yn colli ei ffydd mewn dynion ac yn penderfynu gadael y Cotiau Glas a dychwelyd i'w hen ffordd o fyw

Mae Kit Carson yn un o brif gymeriadau'r nofel hon ac mae hanes Kit a brwydr fewnol ei gymeriad yn un o linynnau storïol mwyaf diddorol y nofel. O'r dechrau rydym yn gweld ei fod yn filwr da ac mae'r Cotiau Glas yn dibynnu llawer ar ei sgiliau diplomyddol wrth ddelio â'r Indiaid. Ond mae'r sgiliau hyn yn deillio o'i hanes personol a'r ffaith iddo fyw ymysg yr Indiaid. Mae'n deall yr Indiaid oherwydd ei fod yn un ohonyn nhw – mae'n perthyn iddyn nhw. Nid yw'n gallu gadael y Navaho nac unrhyw lwyth arall ar drugaredd y Cotiau Glas oherwydd ei fod yn teimlo ei fod yn rhan o'u brwydr i warchod eu tiroedd a'u ffordd o fyw. Ar y dechrau nid yw Carson yn gallu credu y byddai'r Cotiau Glas yn symud yr Indiaid i diroedd nad oedd yn ffrwythlon ac yn debyg i Geunant de Chelley er enghraifft. Ond yn fuan iawn mae'r gwirionedd yn ei daro ac mae'n colli ffydd yn llwyr mewn dynion ac yn ei waith fel milwr. Mae ei ymateb i drais y Capten Victor Dicks yn crisialu hyn. Yn y diwedd mae Carson yn dial ar Dicks a'r Cotiau Glas gan wisgo dillad Carleton ond oddi tan y wisg honno y "Taflwr Rhaffau" ydyw yn gwisgo egwyddorion llwyth y Cheyenne.

9. Crynodeb o'r testun

Prolog

Addasiad yw'r prolog o ran o bennod gyntaf cofiant Geronimo (Barret, S.M. "Geronimo – His Own Story" 1907) ac mae'r caneuon sydd yng nghorff y gyfrol, ar gael yng nghasgliad y Bureau of American Ethnology.

Yn y Prolog, rydym yn cael hanes dechreuad llwyth yr Apache. Mae bachgen yn ymladd â'r ddraig ac yn ennill. Mae e'n diolch i Usen. Enw'r bachgen yw Apache ac mae Usen yn ei ddysgu i hela, ymladd a pharatoi llysiau yn feddygyniaethau. Y bachgen hwn, Apache yw pennaeth cyntaf pob llwyth o Indiaid ac mae'n gwisgo plu'r eryr fel arwydd o gyfiawnder, doethineb a grym. Mae Usen yn rhoi tiroedd y Gorllewin Gwyllt i'r bachgen a'i blant.

Pennod 1

- Haul y Bore yn geni bachgen bach, Chiquito, ar lan yr afon o dan goeden
- Chico, ei gŵr ers bron i flwyddyn, wedi mynd i ffwrdd i hela byffalo gyda Geronimo
- Kit Carson, Is-gyrnol gyda'r Cotiau Glas ar ei ffordd i Ffort Defiance gyda gorchymyn sy'n gorfodi'r Indiaid i adael eu tiroedd traddodiadol a symud i'r rhandiroedd
- Pan mae Chiquito yn saith niwrnod oed mae'r Cotiau Glas yn ymosod ar y gwersyll
- Haul y Bore yn rhedeg i'r babell i achub Chiquito ac yna'n rhedeg i'r coed ond y Capten Victor Dicks yn ei gweld yn dianc
- Dicks yn gwthio cleddyf i stumog Chiquito ac yn torri ei ben a'i ddal ar flaen y cleddyf
- Haul y Bore yn ceisio trywanu Dicks â chyllell
- Dicks yn treisio Haul y Bore
- Haul y Bore yn taro Dicks yn ei ben ac yn ei frathu yn ei wddf
- Haul y Bore yn rhedeg i'r coed
- Quanah, hen wraig ddoeth yr Apache yn gweld popeth
- Ricos llwyth y Navaho yn dychwelyd o Ffort Wingate wedi bod yn trafod heddwch gyda'r Cyrnol Canby – Manuelito yn poeni bod Herrero Grande wedi rhuthro i arwyddo'r cytundeb heddwch gyda Canby
- Yr Indiaid yn cael anrhegion gan Canby a Herrero Grande yn rhoi tair blanced liwgar i Canby
- Sôn bod y Cotiau Glas yn erlid y Mescaleros ac yn ceisio eu symud i Bosque Redondo
- Manuelito eisiau ymweld â Haul y Bore a Chico

- Chico'n dychwelyd o hela'r byffalo ar ei geffyl, Cwmwl Gwyn – edrych ymlaen at weld ei wraig a'i blentyn
- Wrth nesáu at y gwersyll mae'n arogli cyrff yn pydru yn yr haul a hen dân yn mudlosgi
- Quanah yn adrodd yr hanes wrtho ac yn mynd ag ef i weld coeden Chiquito
- Haul y Bore yn rhedeg drwy'r coe – wedi bod yn rhedeg drwy'r dydd ac yn gwybod bod ffordd bell i redeg eto cyn cyrraedd adref – clywed sŵn carnau ceffylau – ceisio dianc i'r coed ond mae'n cael ei hamgylchynu – codi ei phen a gweld pâr o esgidiau lledr, gloyw yn perthyn i un o filwyr y Cotiau Glas.

Pennod 2
- Chico yn mynd at goeden Chiquito. Rhoi corff Chiquito mewn darn o groen byffalo a'i glymu'n sownd i'r goeden
- Chico'n rhwbio clai i groen hanner uchaf ei gorff â phatrymau o linellau ac yn rhoi dwy linell o glai ar hyd ei fochau ac ar ei dalcen – gwneud dawns ryfel o amgylch y goeden a gofyn i Usen fod gydag ef wrth iddo ddial
- Chico'n torri croen ei law, blasu ei waed ac yna'n gwneud chwe llinell o waed ar ei dalcen a'i fochau
- Mynd i'r ogof arfau i nôl casgen o bowdr du a llond cawell o flaenau saethau llym
- Pedwar Arapaho hanner brid yn gwarchod gwersyll y Cotiau Glas
- Capten Victor Dicks yn rhoi wisgi i'r milwyr ac yn gwneud hwyl am ben treisio Haul y Bore
- Chico'n cyrraedd ar gefn ei geffyl, yn sgrechian ac yn taflu'r gasgen llawn powdr a blaenau saethau i'r tân gan frifo rhai o'r Cotiau Glas
- Cwmwl Gwyn, ceffyl Chico'n cael ei saethu a Chico'n cael ei ddal
- Manuelito sy'n dod o hyd i Haul y Bore, ei ferch ac yn gofalu amdani – sylwi bod rhywun wedi ymosod arni a'i bod wedi rhoi genedigaeth
- Mynd â hi nôl tuag at y gwersyll – Quanah yn dweud yr hanes wrthyn nhw
- Cotiau Glas yn holi Chico. Chico'n dweud ei fod yno i ddial
- Sgowtiaid yn sylweddoli pwy yw Chico – penderfynu gadael a mynd yn ôl i Fynyddoedd y Chusca
- Yr Arapaho yn rhedeg tuag at yr afon ond dau yn cael eu saethu yn eu cefnau. Dau yn dianc
- Saethu Chico yn ei bennau gliniau
- Mynd â Haul y Bore yn ôl i Geunant de Chelley – cynllunio dial ar y Cotiau Glas
- Dicks ddim yn hapus fod y cyrch ar wersyll yr Apache wedi cael ei ddifetha gan Chico – byddai rhaid iddo ateb cwestiynau am yr hyn ddigwyddodd
- Milwyr y Cotiau Glas i gyd eisiau lladd Chico ond Dicks yn cynllunio ei boenydio

- Hongian Chico wrth ei draed o'r goeden er mwyn gwneud iddo farw'n araf a phoenus. Rhwyga Dicks dafod Chico nes bod y gwaed yn sboncio o'i geg – ei adael yno i'r bleiddiaid ddod i'w fwyta.

Pennod 3
- Carson a Carleton yn sgwrsio. Carleton yn rhoi tri mis i Carson symud yr Indiaid
- Carson yn gofyn am ganiatâd i fynd i drafod y symud gyda'r Indiaid unwaith eto – Carleton yn rhoi wythnos i Carson wneud hyn
- Chico yn dal i hongian ben i waered ac mae'r bleiddiaid yn agosáu ond yn cael ei achub yn sydyn
- Chico'n deffro – sylweddoli ei fod yn cael ei ddal ar lawr – dur chwilboeth yn cael ei roi ar ei dafod – llewygu
- Manuelito a Haul y Bore yn dod yn ôl i Geunant de Chelley
- Siarad am ddial ar y Cotiau Glas yn dechrau – Manuelito yn tynnu'r esgidiau lledr a gafodd gan Canby a'u taflu i'r tân
- Carson yn cyrraedd y Ceunant a Quanah yn dweud hanes Haul y Bore wrtho
- Carson yn addo mynd â'r hanes yn ôl at Carleton a Canby ac mae'n amau mai Dicks sy'n gyfrifol
- Carson yn ceisio perswadio'r Indiaid i symud ond y Navaho ddim yn credu bod tir ffrwythlon yn Bosque Redondo ac yn troi eu cefnau ar Carson
- Benito a Tanuah yn gofalu am Chico
- Benito wedi darganfod bod Canby wedi gorchymyn i bob Apache ildio o fewn deg dydd
- Chico'n dod ato'i hun – ei dafod wedi chwyddo gymaint mae'n llenwi ei geg
- Benito yn dod â newyddion yn ôl at Chico fod Haul y Bore dal yn fyw
- Chico'n benderfynol o fynd i ymuno â Geronimo a Cochise a dial ar y Cotiau Glas
- Carson eisiau gweld adroddiad Dicks ond Carleton yn gwrthod ei ddangos iddo
- Carson yn sylweddoli mai'r unig ffordd i symud y Navaho o'r Ceunant yw eu newynu nhw – gofyn am hanner cant o ddynion ac ugain baril o kerosene
- Carson yn gwneud cwyn swyddogol yn erbyn Dicks.

Pennod 4
- Geronimo a Cochise yn creu hafog
- Sgowtiaid y Cotiau Glas, yr Arapaho, i gyd wedi gadael
- Chico'n cryfhau bob dydd
- Geronimo yn dod i ymweld â Chico yn yr ogof ac yn gwrando ar ei gynllun i ddial ar y Cotiau Glas
- Chico ar ei ffordd yn ôl i Geunant de Chelley

- Haul y Bore yn crio wrth feddwl sut y bydd Chico yn dial arni – ystyried lladd ei hun â chyllell hir
- Chico'n cyrraedd y tipi ac mae'r ddau'n cofleidio
- Carleton wrth ei fodd bod Carson wedi llwyddo i ddinistrio cnydau'r Navaho
- Carson yn rhybuddio Carleton y bydd y Navaho yn siŵr o ddial am hyn
- Y Navaho a'r Apache yn casglu ym Mynyddoedd y Chusca ar eu ffordd i Ffort Defiance
- Carson yn rhybuddio Carleton bod ymosodiadau ar y ffordd
- Carleton eisiau i Carson fynd i ddifa'r perllannau yn awr yng Ngheunant de Chelley – byddai'n well gan Carson ymddiswyddo
- Carleton eisoes wedi rhoi gorchymyn i Dicks fynd i ddifa'r perllannau
- Carleton yn anfon Carson i Ffort Sumner at Cyrnol Canby
- Dicks yn dod at Carleton – cael ei anfon i ddifa'r perllannau yng Ngheuant de Chelley
- Carleton yn dweud wrth Dicks am ddinistrio'r ffynhonnau, y tyllau dŵr a'r afonydd hefyd
- Chico'n gafael yn dyner yn Haul y Bore wrth iddi grio – ei gorfodi i ddweud hanes Chiquito wrtho er mwyn iddi gael gwared o'i phoen
- Ym Mynyddoedd y Chusca mae cyngor rhyfel yr Apache a'r Navaho yn cwrdd – cytuno mai Geronimo ddylai arwain yr holl gyrch yn erbyn y Cotiau Glas ger Ffort Defiance
- Chico'n deffro wrth ochr Haul y Bore – gwybod y bydd rhaid iddo'i gadael ac ymuno â Geronimo a Cochise
- Chico ddim am ymuno ym Mrwydr Ffrot Defiance ond yn awyddus i fynd i Albuquerque i ymosod ar gorlannau gwartheg y Cotiau Glas yno
- Chico'n gadael Haul y Bore – mae hi'n gwenu arno ac yn amlwg yn gwella bob dydd.

Pennod 5
- Carson ym amau mai cynllwyn i'w gael ef o'r ffordd oedd ei anfon i Ffort Sumner at Cyrnol Canby
- Carson yn cael ei ddal yn cysgu yn y bore gan Cochise
- Dicks a'i filwyr yn cyrraedd Ceunant de Chelley – dechrau ar y gwaith o ladd bywyd yn y Ceunant – llosgi'r tipis â kerosene a thaflu potelaid o wenwyn i bob twll dŵr
- Cochise yn dod â Kit Carson o flaen Geronimo – Geronimo yn poeri yn ei wyneb
- Carson yn amddiffyn ei hun – dweud ei fod yn parchu traddodiadau'r Indiaid a'i fod yn dad i un o lwyth yr Arapaho
- Geronimo yn sychu'r poer oddi ar wyneb Carson ond nid yw'n ymddiheuro
- Llwyth y Navaho yn gwylio'r Cotiau Glas yn difa'r Ceunant o'u cuddfan yn y creigiau

- Haul y Bore yn dadlau â Barboncito – hi eisiau ymosod ar y Cotiau Glas – Barboncito yn gwrthod
- **Brwydr Ffort Defiance**
- Carleton yn gweld Geronimo yn cyrraedd – sylwi nad oes gynnau gan yr Indiaid.
- Milwyr y Cotiau Glas yn cael eu hanfon allan o'r ffort i ymosod ar yr Indiaid
- Yr Indiaid yn sefyll yn llonydd mewn hanner cylch – yr hanner cylch yn hollti a channoedd o Indiaid, yn cario gynnau yn gweiddi "Geronimoooo" yn ymosod ar y Cotiau Glas
- Carleton wedi disgyn i drap yr Apache ac wedi colli dros ddau gant o filwyr
- Geronimo yn taflu picell â phlu gwynion arni at y ffort – symbol mai tir yr Apache yw ef
- Kit Carson yn cael ei anfon wedi'i glymu ar gefn ceffyl at y ffort, yn fyw ond yn waed i gyd a phlu gwynion yn ei wallt
- Dicks a'i filwyr yn parhau i ddifa'r Ceunant – bellach yn dinistrio'r perllannau hefyd
- Carleton wedi gwylltio – anfon at Cyrnol Canby yn Ffort Sumner yn gofyn am fwy o filwyr i warchod Ffort Defiance
- Canby yn gwrthod ac yn gorchymyn i Carleton symud y Navahos o fewn mis neu fe fydd y Cotiau Glas yn cael rhywun arall i wneud y gwaith
- Y Navaho yn cyfarfod yn y Ceunant i drafod difrod Dicks a'i filwyr
- Barboncito yn penderfynu bod rhaid ymosod arnyn nhw – fel roedd Haul y Bore eisiau
- Y Navaho yn disgwyl pedwar diwrnod i Dicks a'i filwyr orffen eu gwaith
- Wrth i'r Cotiau Glas adael y Ceunant mae'r Navaho yn ymosod arnyn nhw drwy daflu cerrig o'r ogofâu ar eu pennau
- Deugain o'r Cotiau Glas yn cael eu lladd ond bron i gant o'r Navaho yn marw hefyd
- Herrero Grande, Manuelito a'r Navaho eraill yn cyrraedd yn ôl a gweld y dinistr i'r Ceunant ac yn sylweddoli bod y bobl yn dioddef yn ofnadwy yn y brwydro.

Pennod 6

- Cynllun Geronimo, dan arweiniad Chico, i yrru gwartheg y setlwyr gwyn (tua 2000) o Albuquerque i'r de a dwyn tua 200 ohonyn nhw
- Mae'r cynllun yn llwyddiannus ar ddechrau'r bennod ac mae Albuquerque yn llanast llwyr
- Rhai o'r ricos yn y Ceunant eisiau ildio
- Araith Manuelito
- Chico yn cyrraedd gan ddweud bod y cynllun i ddwyn y gwartheg wedi bod yn aflwyddiannus
- Y Navaho yn dadlau ymysg ei gilydd ynglŷn ag aros yng Ngheunant de Chelley neu symud i'r Bosque Redondo – rhaniad amlwg rhwng Manuelito a Herrero

- Chico yn cyhoeddi na fydd ef na Haul y Bore yn dod gyda nhw
- Y Navaho yn ildio i'r Cotiau Glas yn Ffort Defiance – Herrero yn cario baner wen
- Carleton yn falch iawn
- Carson yn cael ei anfon i gyfarfod y Navaho – gorchymyn i beidio addo dim iddyn nhw
- Carson yn cynorthwyo'r Navaho i ddweud y pethau iawn yn y trafodaethau gyda Carleton
- Carleton yn mynnu tri pheth gan y Navaho 1) Pob un ohonyn nhw'n ildio 2) Nid ydynt i gario arfau 3) Y llwyth i symud ar unwaith i gysgod Ffort Defiance
- Chico'n gadael Haul y Bore eto gan addo y bydd yn dychwelyd
- Gadael Ceunant De Chelley – Kit Carson yn dod i gasglu'r Navaho. Mil o bobl yn disgwyl amdano yn llonydd ac yn fud
- Araith olaf Manuelito
- Manuelito yn flin iawn gyda Kit Carson
- Y ddwy hen wraig yn cyflawni hunanladdiad
- Chico a Geronimo ym Mynyddoedd y Chusca
- Cynllun Geronimo yw gadael am Mecsico dros y gaeaf a dychwelyd yn y gwanwyn – nid yw Chico am adael Haul y Bore
- Carleton a Dicks yn gwylio'r Navaho yn cyrraedd Ffort Defiance gyda Carson
- Nid yw Carson yn derbyn llongyfarchiadau Carleton nac yn ysgwyd ei law
- Carson yn cael ei anfon i Texas gan Carleton – nid yw'n cael mynd â'r Navaho i'r Bosque.

Pennod 7
- Y Navaho y tu allan i Ffort Defiance
- Herrero Grande a Manuelito yn mynd i weld Carleton – eisiau cadw ceffylau ond Carleton yn gwrthod
- Dylanwad Herrero Grande fel pennaeth y ricos yn lleihau wrth i'r llwythau ddisgwyl a disgwyl am gael eu symud i'r Bosque yn y gwersyll tu allan i Ffort Defiance
- Manuelito yn cael ei anfon gan Herrero i chwilio am Chico, Geronimo a Cochise a dwyn bwyd i'w cynnal
- Carleton yn teimlo ei fod wedi cael ei ddal mewn trap. Washington eisiau iddo symud y Navaho i Bosque Redondo ond eisiau iddo hefyd anfon mwy o filwyr i ymladd yn y Rhyfel Cartref
- Manuelito yn rhoi tri diwrnod i Carleton gael bwyd, lloches a chynhesrwydd i'r Indiaid neu byddan nhw'n dychwelyd i Geunant de Chelley
- 2,500 o Indiaid y tu allan i Ffort Defiance – mwy na dim ond llwyth y Navaho yma
- Kit Carson yn dychwelyd i'r Ffort – dweud bod Dicks ar ei ffordd

- Dicks wedi bod yn claddu cyrff milwyr ac yn llosgi blancedi'r rhai oedd yn dioeddef o'r frech wen
- Kit Carson yn anhapus iawn bod Dicks wedi cael ei ddewis i ddod gyda nhw ar y Daith Faith i'r Bosque Redondo – yr Indiaid ac yntau yn ei gasáu
- Criw o fechgyn ifanc y Navaho yn dwyn ceffylau'r Cotiau Glas a dianc o'r gwersyll y tu allan i'r ffort – Carleton wedi gwylltio ac yn bygwth anfon trŵp ar eu holau
- Manuelito yn cynnig mynd ar eu hôl – cynllwyn yw hyn iddo ef ddianc yn ogystal ac mae'r cynllwyn yn llwyddo
- Y Navaho yn cael eu deffro y tu allan i'r Ffort – y Cotiau Glas wedi dod â blancedi iddyn nhw
- Nid yw'r Navaho yn sylweddoli mai blancedi wedi'u heintio â'r frech wen yw'r rhain ac maen nhw'n eu derbyn gyda diolch
- Dicks yn dawnsio dawns ryfel a blanced amdano er mwyn diddanu'r milwyr – Carson yn gwylltio ac yn ei daro â'i wn
- Carson yn carcharu Dicks yn yr Ystafell Warchod
- Carleton yn gwylltio ac yn teimlo bod Carson wedi tanseilio ei awdurdod
- Carleton yn rhyddhau Dicks ac yn carcharu Carson sy'n rhwygo ei ysgwydd-lifrau â chyllell
- Carleton yn anfon Dicks ar ôl Manuelito a'r bechgyn ifanc
- Dicks yn dal y bechgyn ifanc ger Ransh y Ceffyl Du ond ugain, gan gynnwys Manuelito, yn dianc.

Pennod 8
- Chico'n dod i nôl Haul y Bore i fynd â hi gydag ef at Geronimo er mwyn mynd i Mecsico at lwyth y Nedni dros y gaeaf
- Mae Haul y Bore yn dweud wrtho na fydd hi'n dod gydag ef – wedi addo i Manuelito y bydd yn gofalu am ei phobl
- Dicks yn dychwelyd o'r ysgarmes â Manuelito – Carleton yn gorchymyn iddo ddechrau ar y gwaith o symud y Navaho i'r Bosque – 80 o ddynion – rhaid gwneud y daith mewn tair wythnos
- Mae'r Corporal sy'n gyfrifol am warchod Carson yn ei gell yn rhoi gwn iddo ar ei blât bwyd iddo gael dianc
- **Dechrau'r Daith Faith i'r Bosque Redondo**
- Dicks yn dweud wrth Herrero Grande bod rhaid cyflymu – gwrthod y syniad o roi y rhai hen a musgrell yn y wagenni gwag
- Dicks yn dweud bod Indiaid yn "dianc" ond mae'n amlwg ei fod yn saethu Indiaid hen a gwan gyda'r nos
- Carson yn llwyddo i ddianc o'i gell drwy dynnu gwn ar Carleton
- Carson yn dianc o'r Ffort ar gefn ceffyl yn gwisgo dillad Carleton

- Carson yn marchogaeth i Geunant de Chelley ac yn tynnu ei lifrau a gwisgo dillad llwyth y Cheyenne
- Chico yn dod at Carson yn yr ogof yn y Ceunant
- Chico a Carson yn penderfynu cynorthwyo'r Navaho i gyrraedd yn ddiogel a dial ar Dicks gyda'i gilydd
- Haul y Bore yn cerdded y Daith Faith gyda Quanah
- Milwr yn ceisio chwipio Quanah oherwydd ei bod hi'n gorffwys – Haul y Bore yn achub ei bywyd drwy sefyll rhwng y milwr a'i chwip
- Dicks yn gweld Haul y Bore yn ceisio helpu Quanah
- Dicks ar fin taro Haul y Bore – un o saethau Chico yn plannu'i hun yn ei ysgwydd
- Dicks yn defnyddio'r merched fel tariannau i amddiffyn ei hun a'i filwyr
- Carson yn dod i helpu Haul y Bore i redeg a dianc
- Y bore nesa mae'r Indiaid yn gwrthod cerdded
- Herrero Grande yn sefyll yn ddewr o flaen bwledi Dicks, sy'n ceisio ei gorfodi i gerdded
- Dicks ar fin lladd Herrero o flaen yr Indiaid i gyd ond Carson yn saethu saeth a gweiddi "Geronimo!"
- Dicks yn wael iawn (y saeth a saethodd Chico wrth achub Haul y Bore sy'n gyfrifol am hyn)
- Capten Patrick O'Connor yn dod i arwain y Daith Faith wedi i Dicks gael ei daro'n wael
- O'Connor yn siarad â Herrero Grande a Kit Carson
- Carson eisiau i O'Connor fynd â llythyr at Sherman drosto – mae Carson yn fodlon ildio i Sherman ond nid i Carleton na Canby
- O'Connor yn dweud bod Haul y Bore wedi'i dal a bod Chico wedi cael ei ladd
- Nid yw Chico wedi marw ac mae'n cuddio rhag y Cotiau Glas
- Chico'n cofio sut y cafodd ef, Haul y Bore a nifer o Navaho, eu dal yn annisgwyl
- Yr Indiaid yn cyrraedd Bosque Redondo – o'r 2500 a gychwynnodd y Daith Faith dim ond 1400 ohonyn nhw oedd ar ôl
- Dicks wedi gwella ar ôl wythnos yn Ffort Sumner – dod i chwilio am Haul y Bore
- Necwar yn herio Dicks – Dicks yn ei daro â'i wn – Haul y Bore yn dangos ble mae hi
- Haul y Bore yn cyflawni hunanladdiad drwy afael yng ngwn Dicks a'i anelu at ei phen ei hun – Dicks sydd yn gwasgu'r triger
- Yn y sgarmes sy'n dilyn mae 28 o'r Navaho sydd y tu allan i'r ffort yn cael eu lladd ond mae Necwar yn dianc
- Necwar yn cyrraedd nôl i Geunant de Chelley – cyfarfod Carson ac yna Chico
- Necwar yn dweud hanes hunanladdiad Haul y Bore wrth Chico
- Carson yn penderfynu dial

- Y bore canlynol mae Carson yn mynd i wisgo dillad Carleton (roedd wedi eu dwyn) – y tri yn cerdded tua Ffort Defiance
- Diwedd Chico yn dod ac mae Carson yn ei adael i bwyso wrth goeden a rhaff yn hongian oddi wrthi
- Necwar yn diflannu i'r coed
- Carson yn mynd i Ffort Defiance i gasglu Dicks – Dicks yn cael ei ddal yn cysgu ac mae Carson yn ei arwain allan o'r Ffort a'i roi ar geffyl
- Carson yn gosod Dicks yng ngofal Chico ac yna'n diflannu i'r coed
- Chico yn disgwyl i'r Cotiau Glas ddod i achub Dicks
- Chico yn gofyn i Dicks ydy e'n gweld yr haul drwy'r coed "Haul y bore, Dicks"
- Chico yn saethu Dicks wrth i'r Cotiau Glas ei saethu ef – "Diffoddodd haul y bore".

10. Iaith ac arddull

Nodwedd	Dyfyniad	Effaith
Brawddeg fer	t.21 – "Tawodd yn sydyn a meiniodd ei chlustiau."	Roedd yr awdur wedi creu naws dawel cyn y storm. Y frawddeg hon sy'n chwalu'r naws honno ac yn dechrau adeiladu'r tensiwn. Mae Eirug Wyn yn feistr ar greu naws a dal sylw'r darllenydd. Mae'n ein tynnu i mewn i'r olygfa drwy ddefnyddio ansoddeiriau a chreu delweddau sy'n ein swyno. Yna, yn sydyn, mae'n chwalu'r darlun hwnnw'n greulon drwy ddarlunio digwyddiadau gwrthgyferbyniol.
	t.68 – "Roedd o hefyd wedi gweld Haul y Bore."	Brawddeg fer sy'n llwyddo i gyfleu syndod Chico.
	t.58 "Yn araf bach, roedden nhw'n dod ... Roedden nhw'n nesau."	Yma, mae'r awdur yn adeiladu tensiwn drwy ddefnyddio brawddegau byrion. Mae'n cyrraedd yr uchafbwynt yn raddol.
	t.59 "Llewygodd."	Un gair sy'n rhoi diwedd ar boen Chico a diwedd ar y boen i ni'r darllenydd.
	t.67 "Gwasgodd."	Un gair sy'n dangos pa mor ddiolchgar yw Chico.

Nodwedd	Dyfyniad	Effaith
	t.76 "Fferrodd. Gollyngodd y gyllell ... Yn araf trodd."	Mae'r awdur yn disgrifio rhyddhad y cymeriad drwy'r gyfres hon o frawddegau byrion. Mae'r berfau sy'n cael eu defnyddio'n dangos ei symudiadau yn ffilmaidd. Roeddem ni fel darllenwyr yn ofni ein bod am golli un o'n prif gymeriadau ond mae'r awdur yn ei hachub i ni!
Cyffelybiaeth	t.46 – "Roedd hi'n crynu fel ebol newydd-anedig."	Mae Haul y Bore mewn cyflwr truenus iawn ac mae'r gyffelybiaeth hon yn ychwanegu at y darlun o greadur gwan a diamddiffyn.
	t.58 "Yna'n sydyn, dyna sŵn fel chwip."	Yma, mae'r awdur yn darlunio synau drwy gyffelybiaeth. Sŵn saeth a ddarlunnir ond er mwyn cynnal y tensiwn nid yw'r awdur yn dweud wrth y darllenydd mai saeth ydyw. Nid yw'r cymeriad na'r darllenydd yn siŵr beth ydyw am funud.
	t.85 "Roedd y newyddion ... wedi lledaenu trwy'r llwythau fel tân gwyllt."	Yma mae Quanah wedi bod yn dweud y stroi am ladd Chiquitio wrth gyngor rhyfel yr Apache a'r Navaho. Mae'r stori wedi lledaenu'n sydyn iawn gan ysbrydoli'r Indiaid i gyd i ymuno mewn dialedd. Mae'r gair "tân" yn cael ei ddefnyddio eto er mwyn ychwanegu at y syniadau o drais a difa.

Nodwedd	Dyfyniad	Effaith
	t.127 "Safai pob un fel delw ger ei geffyl ..."	Mae'r darluniau sy'n cael eu creu gan yr awdur y bore y mae'r Navaho yn gadael Ceunant de Chelley yn eithriadol o drist. Yr hyn sy'n ein taro fwyaf ynglŷn â'r naws yw'r tawelwch sydd yno ac mae'r gyffelybiaeth hon yn ychwanegu at hynny.
	t.185 "Roedd Carson yn mynd â fo fel oen i'r lladdfa."	Mae'r gyffelybiaeth hon yn cael ei defnyddio wrth i Carson arwain Dicks at Chico. Yr hyn sy'n ddiddorol iawn yma yw bod yr awdur wedi defnyddio yr un gyffelybiaeth yn union wrth ddisgrifio'r Navaho yn cael eu harwain o Geunant de Chelley (gweler Ailadrodd t.130) Mae dialedd Carson yn gyflawn felly.
Berfau effeithiol	t.27 – "Gwyrodd ... Gwelodd ... Gafaelodd ... sgrechiodd."	Mae'r defnydd o ferfau yn yr olygfa hon yn effeithiol tu hwnt ac unwaith eto mae'r cyfan mor fyw a threisgar fel ei bod hi'n anodd iawn ei ddarllen. Rydym wedi ein dal fel pe baem yn gwylio ffilm arswyd nad ydym eisiau gwybod beth sy'n digwydd nesaf ond na allwn dynnu ein llygaid oddi ar y sgrin.

Nodwedd	Dyfyniad	Effaith
	t.35 – "Gweryrodd y march, ac ysgwyd ei ben. Stampiodd Cwmwl Gwyn ei droed yn ddiamynedd."	Mae'r berfau hyn yn dangos y modd y mae Cwmwl Gwyn, sef ceffyl Chico yn synhwyro'r gyflafan yn y gwersyll. Mae'r modd y mae'r anifail yn cael ei bersonoli yma yn hynod bwysig. Mae'r awdur yn disgrifio Chico'n marchogaeth y ceffyl fel dyn yn un â'i anfail ac yn awr y mae'r ceffyl fel pe bai'n siarad â Chico ac yn ceisio ei rybuddio bod rhywbeth erchyll wedi digwydd yn y gwersyll. Dyma arddangos perthynas yr Indiaid â byd natur a phwysigrwydd hynny yn y nofel
	t.61 "Bu Kit Carson yn gwrando ac yn gwingo."	Mae'r defnydd o'r ferf "gwingo" yma yn llwyddo i ddisgrifio teimladau'r cymeriad. Mae Carson yn anghyfforddus iawn yn gwrando ar y stori.
Ailadrodd	t.41 – "gwaed oer" t.66 "ei geg yn llawn"	Mae'r gair "gwaed" yn cael ei ailadrodd yn gyson ar ddechrau'r ail bennod ac yn ein paratoi ar gyfer y trais sydd i ddod.
	t.72 "ar dân eisiau gweld Haul y Bore"	Mae'r awdur yn ailadrodd yr un frawddeg a'r idiom o dudalen 68 er mwyn clymu golygfeydd a phwysleisio ysfa Chico i weld ei wraig.

Nodwedd	Dyfyniad	Effaith
	t.73 Ailadrodd "ofn"	Mae hyn yn cyfleu gwewyr meddwl Haul y Bore. Mae hi "ofn" ymateb Chico i ladd Chiquitio ac "ofn" y bydd yn ei beio hi.
	t.76 "Dianc rhag ei heuogrwydd. Dianc rhag dial Chico."	Unwaith eto mae'r ailadrodd yn cyfleu gwewyr meddwl Haul y Bore ac yn pwysleisio ei bwriad i ladd ei hun.
	t.101 "Pob un yn gwlffyn nobl, pob un yn farchog medrus, a phob un â thân dial yn ei fol."	Dyma ddynion Geronimo ym Mrwydr Ffort Defiance. Mae'r darlun ohonyn nhw'n ddarlun chwedlonol ac yn ein hatgoffa o farchogion Arthur.
	t.126 "Bu'n troi a throsi ers oriau – bu'n arogli gweddillion y tân ... bu'n syllu tua'r sêr ... bu'n gwrando ar bob smic a ddeuai o'r coed ..."	Am sawl rheswm roedd symud yr Indiaid o Geunant de Chelley yn anodd iawn i Kit Carson ei wneud ac mae'r ailadrodd yn y dyfyniadau hyn yn cyfleu hynny. Mae'r ailadrodd yn arddangos ei wewyr meddwl – mae'n anhapus iawn â'r sefyllfa a'i fod ef yn rhan o'r cyfan.

Nodwedd	Dyfyniad	Effaith
	t.126 "Y tro olaf iddyn nhw ddeffro; y tro olaf iddyn nhw frecwasta; y tro olaf iddyn nhw ymolchi, pacio, llwytho ... a'r cyfan yn enw cynnydd."	Mae'r dyfyniad hwn yn hynod o bwysig. Mae Carson yn ceisio dychmygu bore olaf y Navaho yn y Ceunant. Wrth ailadrodd "y tro olaf" mae Carson yn uniaethu â'u sefyllfa ac yn pwysleisio gymaint y mae yntau'n bersonol yn teimlo tristwch a thrasiedi'r bore – y mae'n *perthyn* i'r Indiaid.
	t.130: "Mynd yn rhes. Mynd yn gynffon ufudd i'r Cotiau Glas. Mynd fel ŵyn i'r lladdfa."	Caiff y gair "mynd" ei ailadrodd wrth i'r Navaho adael Ceunant de Chelley ac mae'n pwysleisio pa mor ofnadwy yw'r diwedd iddynt. I Manuelito mae'n anodd dygymod â'r cywilydd.
Idiomau	t.68 "Roedd ar dân eisiau gweld Haul y Bore."	Mae'r geiriau hyn yn disgrifio ysfa Chico i weld ei wraig ac yn clymu dwy olygfa yn effeithiol – Chico mewn poen corfforol a Haul y Bore mewn gwewyr meddwl.
	t.70 "Roedd Carleton wedi cael llond bol."	Dyma idiom mewn brawddeg fer sy'n disgrifio teimladau'r cymeriad. Mae Carleton yn fyr ei dymer ac yn flin iawn.
	t.75 "Ac fel cath i gythraul carlamodd y ddau."	Mae'r awdur yn darlunio marchogaeth y ceffylau a'r carlamu cyflym sy'n ychwanegu at ba mor ffilmaidd yw'r olygfa hon.

Nodwedd	Dyfyniad	Effaith
	t.89 "Ceisiodd edrych ar y sefyllfa mewn gwaed oer."	Mae'r defnydd o'r idiom hon yn llwyddo i ddangos cymeriad Kit Carson. Mae'n filwr da ond hefyd mae ganddo'r gallu i bwyso a mesur sut i ymateb mewn sefyllfa o ryfel. Nid yw'n ymateb yn fyrbwyll. Mae'n meddwl yn ofalus cyn gweithredu. Mae hyn yn cyferbynnu â chymeriad Carleton.
	t.127 "Eu hannog tua'r man gwyn man draw."	Ystyr yr idiom hon yw bod man arall yn lle gwell i fod. Mae'r idiom yn cael ei defnyddio wrth drafod y Bosque Redondo yma. Mae defnyddio'r idiom wrth sôn am y Bosque yn eironig iawn – ni fydd hwn yn lle gwell i'r Navaho fod ynddo. Lle du iawn fydd y Bosque yn hanes yr Indiaid.
Trosiadau	t.75 "Mae gwaed pob Navaho yng Ngheunant de Chelley yn berwi'r foment hon."	Mae'r trosiad hwn yn cyfleu teimladau Manuelito a'r Navaho i gyd i'r dim. Mae natur llwyth y Navaho yn heddychlon ond maen nhw wedi dechrau gwylltio ac yn raddol gyrraedd pen eu tennyn.

Nodwedd	Dyfyniad	Effaith
	t.81 "Efallai ein bod ni heddiw yn hau had dieflig y bydd ein plant a phlant ein plant yn ei fedi am genedlaethau."	Dyma ddyfyniad pwysig a throsiad hynod o effeithiol. Mae Carson yn dweud gwirionedd mawr yma ac mae'n rhagfynegi y bydd yr hyn y maen nhw'n ei wneud i'r Americaniaid brodorol ar gydwybod Unol Daleithiau America a'i phobl am byth. Y mae'r geiriau hyn hefyd yn ein hatgoffa o eiriau Emrys Wledig yn nrama enwog Saunders Lewis "Buchedd Garmon". A yw'r awdur am i ni fel darllenwyr gysylltu hanes yr Indiaid â hanes Cymru a'r Gymraeg?
	t.84 "Carlamodd panig trwy'i chorff."	Mae'r trosiad hwn yn cyfleu ofn Haul y Bore i ddweud yn ei geiriau ei hun y stori am ladd ei mab. Anodd yw disgrifio ei theimladau ond mae'r trosiad hwn yn llwyddo i wneud hynny.

Nodwedd	Dyfyniad	Effaith
	t.101 "Roedd yna dân a dial yn eu llygaid. Roedd yna haearn yn eu penderfyniad."	Mae'r trosiadau yn y brawddegau hyn yn llwyddo i ddangos bod grym penderfyniad a dial milwyr Geronimo yn drech na gynnau y Cotiau Glas. Bwriad yr awdur yma yw dangos bod yr Indiaid yn ymladd am eu bywydau a bod y Cotiau Glas yn wan oherwydd mai milwyr yn gwneud eu gwaith ydyn nhw. Dyma'r gwahaniaeth rhwng y ddwy fyddin ac mae canlyniad y frwydr yn anochel.
	t.114 "un môr aflonydd yn carlamu i gyfeiriad y dref" "boddwyd ei lais gan daran carnau'r gwartheg"	Mae'r trosiadau hyn yn rhan o un o olygfeydd mwyaf ffilmaidd y nofel. Er mwyn i ni deimlo ein bod ni fel pe baem yn gwylio ffilm mae'r awdur am i ni allu gweld a chlywed beth sy'n digwydd wrth i Chico a'r lleill geisio dwyn y gwartheg ac mae'r trosiadau lliwgar hyn yn dod â'r cyfan yn fyw iawn i ni.
	t.127 "roedd ysgerbydau'r coed yn dal i sefyll."	Wrth i'r Navaho adael Ceunant de Chelley maen nhw'n pacio eu tipis. Wedi codi'r crwyn, dyma'r trosiad sy'n disgrifio'r ffyn sydd ar ôl. Mae defnyddio'r gair "ysgerbwd" yn effeithiol er mwyn darlunio'r olygfa ond hefyd yn cyd-fynd â marwolaeth y Ceunant ac erchylltra sefyllfa'r Navaho.

Nodwedd	Dyfyniad	Effaith
Ansoddeiriau	t.91 "Roedd rhywbeth yn fygythiol hardd yn y waliau."	Dau ansoddair cyferbyniol yw "bygythiol" a "hardd" ond maen nhw'n llwyddo i ddarlunio natur a bywyd gwyllt Ceunant de Chelley i'r dim. Mae cartref y Navaho yn "gaer naturiol" berffaith. Mae'r Ceunant yn gallu gwarchod yr Indiaid yn ogystal â'u cynnal.
Cwestiynau rhethregol	t.103 "Sut ar wyneb y ddaear yr oedd o i egluro i swyddogion Washington iddo golli dros ddau gant o ddynion mewn un frwydr? Oedd o'n rhy feddal hefo'r Indiaid? Tybed?"	Mae'r cwestiynau rhethregol yn cael eu defnyddio er mwyn dangos meddwl cymysglyd y Cadfridog Carleton. Mae Carleton wedi gwneud camgymeriad mawr ac nid yw'n gwybod beth i'w wneud nac at bwy i droi. Mae Carleton yn chwilio am atebion i'r cwestiynau hyn ond nid oes atebion gan neb.
	t.111 "Onid ydi hi'n well i'n pobl fyw ar y Bosque na marw yma?"	Dyma eiriau Armijo wrth Manuelito mewn cyfarfod o ricos y Navaho. Dyma'r geiriau sy'n cloi'r bumed bennod. Maen nhw i gyd yn clywed ei gwestiwn ond nid oes neb yn ei ateb. Mae'r tawelwch sy'n dilyn yn awgrymu bod llawer yn cytuno ag ef.

Nodwedd	Dyfyniad	Effaith
	t.116 "Ble mae'n hysbryd ni? Ble mae'r haearn sydd yn ein hasgwrn cefn? Ble mae'r gwaed coch sy'n llifo trwy'n gwythiennau?"	Dyma agoriad effeithiol i un o areithiau Manuelito. Yma mae Manuelito ar dân eisiau i'r ricos eraill weld ei ochr ef a brwydro yn erbyn y Cotiau Glas ac nid ildio. Mae'r cwestiynau'n herio'r gynulleidfa ond mae'r ricos eraill yn ochri â barn Armijo ac nid ydynt yn gallu gweld pwrpas mewn ymladd.
Rhestru	t.103 "Coed afalau ac eirin, gellyg ac eirin gwlanog."	Dyma restr o'r coed yn y perllannau a ddinistriwyd gan Dicks a'i ddynion yng Ngheunant de Chelley. Mae natur y ceunant yn cael ei ddifa yn gwbl ddidrugaredd yn union fel y bobl eu hunain.
	t.120 "Roedd y misoedd o wasgu, o ymladd, o losgi, o ddifa ac o ddinistrio wedi dwyn ffrwyth."	Dyma'r hyn y bu'n rhaid i'r Navaho ei ddioddef, yn arbennig yng Ngheunant de Chelley. Mae'r rhestr hon yn pwysleisio pa mor anodd y bu hi i'r Cotiau Glas dorri ysbryd yr Indiaid ond fel y dywedir yn y dyfyniad mae'r cyfan "wedi dwyn ffrwyth" ac mae'r Indiaid ar eu ffordd i'r Bosque Redondo.

11. Dyfyniadau pwysig

"Mae'r Cotiau Glas i gyd yn ddrwg!" (t.61)

Dyma eiriau Manuelito wrth Carson. Mae geiriau Manuelito yn dangos bod ei gymeriad wedi newid llawer. Y mae'n gacwn gwyllt ac eisiau dial. Mae holl ofnau Carson ynglŷn â gweithred Dicks yn cael eu gwireddu – fe wnaeth Dicks rywbeth byrbwyll ac ofnadwy a does dim modd dad-wneud y niwed a wnaeth i berthynas y Cotiau Glas (a Carson yn arbennig) a'r Indiaid (llwyth y Navaho yn arbennig).

"Yma, yn y Ceunant hwn y'm ganwyd i, fy nhad a 'nhaid; ei daid o a'i daid yntau. Yma y gwelodd Haul y Bore olau dydd, ac oddi yma yr aeth i gael ei llarpio gan y dyn gwyn. Mae calon Manuelito yn drom o glywed geiriau'r Taflwr Rhaffau. Dydi brawd ddim yn ymladd yn erbyn brawd! Os ydi'r Taflwr Rhaffau yn trefnu i ymladd yn erbyn y Navahos, gwell iddo adael Ceunant de Chelley. Rŵan!" (t.63)

Dyma Araith Manuelito: Y mae'r araith hon yn hynod bwysig oherwydd ynddi mae Manuelito yn siarad am ei unig ferch, ond hefyd, mae fel pe bai'n ei chyfosod hi â thranc ei genedl. Mae Haul y Bore yn yr araith fer hon yn cynrychioli'r holl Americaniaid brodorol yn eu brwydr yn erbyn y dyn gwyn ac mae ei hanes hi yn symbol o'r hyn ddigwyddodd i lwyth y Navaho (a'r llwythau eraill i gyd). Mae Manuelito yn agor yr araith drwy sôn amdano ef ei hun ac yn dweud mai ei gartref ef yw'r Ceunant.

"Doedd dim dianc i fod." (t.101)

Mae'r frawddeg fer iasol hon yn nodweddiadol o nifer o frawddegau yn y nofel sy'n cael eu defnyddio i gyfleu erchylltra rhyfel a thrais ofnadwy. Mae hi'n anodd disgrifio pa mor wirioneddol erchyll oedd y brwydrau hanesyddol hyn ac felly gallai disgrifio gormod o waed a lladd golli effaith ar y darllenydd. Yr hyn y mae'r awdur yn ei wneud yma yw peidio disgrifio dim byd ond yn hytrach yn gadael i'r darllenydd greu ei ddarluniau erchyll ei hunan.

"Roedd yna dawelwch hyll yn teyrnasu dros y Ceunant." (t.127)

Mae'r awdur yn defnyddio'r ansoddair "hyll" i ddangos bod popeth wedi dod i ben. Mae'r dyfyniad hwn yn nodweddiadol unwaith eto o gynildeb yr awdur. Ansoddair syml, byr yw "hyll" ond mae'n llawn ystyr yn y frawddeg hon ac wrth gwrs yn golygu llawer mwy. Dyma ddiwedd bywyd llwyth y Navaho yn y Ceunant. Mae'r Navaho i gyd yn gwybod hynny ac mae Carson wedi dod yno i wneud gwaith budr a hyll iawn. Mae'r awdur am i ni gydymdeimlo â'r Indiaid ac nid yw'n gwneud hynny mewn ffordd sentimental a allai golli ei effaith. Mae'r dweud yn uniongyrchol. A yw'r dweud yn ddiduedd? Nac ydy, mae Eirug Wyn yn ochri gyda'r Navaho a'u sefyllfa druenus ac ni allwn lai na theimlo bod y Cotiau Glas yn gwneud rhywbeth anfaddeuol i bobl heddychlon na wnaeth ddim byd o'i le, dim ond ceisio byw ar y tiroedd anghywir ar yr adeg anghywir mewn hanes.

"Gwell angau na chywilydd!" (t.130)

Dyma eiriau un o ddwy hen wraig y Navaho cyn cyflawni hunanladdiad. Mae Manuelito mewn gwewyr meddwl aruthrol wrth glywed y geiriau oherwydd bod y ddwy hen wraig yma yn dweud ac yn gwneud mwy nag a wnaeth ef dros ei bobl, yn ei farn ef. Mae'r ddwy hen wraig wedi aberthu eu bywydau yn enw eu cyndeidiau. (Dyma hefyd yw arwyddair catrawd y Gurkas ym myddin Prydain.)

"Rydw i wedi addo aros hefo 'mhobl." (t.150)

Dyma ddarlun o ferch annibynnol gref sydd yn parchu traddodiadau ei llwyth ond hefyd yn barod i sefyll ar ei phen ei hun ac arwain ei phobl. Nid yw Chico yn gallu credu nad yw ei wraig, a ddylai fod yn ufudd i'w orchymyn, yn barod i ddod gydag ef ond mae'r cryfder hwn yn sicr yn un o'r rhesymau y mae'n ei charu a pham y priododd Chico hi. Mae Chico yn parchu ei phenderfyniad ond yn siomedig ar yr un pryd. Byddai Chico ei hun wedi gwneud yn union yr un peth â hi yn yr un sefyllfa. Mae'r awdur yn darlunio perthynas gymhleth y ddau yn fyw a theimladwy – mae cariad y ddau i'w deimlo unwaith eto yn yr olygfa hon.

"Mae gen ti a finna fusnes i'w setlo!" (t.178)

Dyma eiriau iasol Dicks sy'n llawn arswyd. Mae'r geiriau'n clymu dechrau a diwedd y nofel. Mae taith y ddau gymeriad ar fin dod i ben. Dydyn ni ddim yn credu bod gobaith i Haul y Bore. Rydym fel darllenwyr yn wynebu ei diwedd gyda hi ac nid ydym yn credu ei bod hi'n bosibl iddi ennill y dydd. Yna mae hi'n saethu ei hun. Roedd gwên ar ei hwyneb pan fu farw, "Roedd y wên yna yn dweud llawer wrtho ac eto doedd o ddim yn deall." Ond, rydyn ni'n deall bod Haul y Bore wedi ennill brwydr seicolegol dros Dicks ac wedi llwyddo i ddial arno er ei drais.

"Mae 'na gyfiawnder hyd yn oed mewn rhyfel, Dicks." (t.187)

Dyma eiriau Carson cyn iddo ddial ar Dicks. Erbyn hyn, ar ddiwedd y nofel, mae pethau mor ddrwg rhwng yr Indiaid a'r Cotiau Glas nes bod Carson yn derbyn ei bod hi bellach yn *rhyfel* rhyngddynt. I Carson yr hyn sydd yn gyfiawn yma yw bod Dicks yn marw ac yn derbyn y gosb eithaf am ei weithredoedd ysgeler. Mae Carson yn gwisgo dillad y Cotiau Glas ar ddiwedd y nofel ond oddi tanynt mae'n gwisgo dillad y Cheyenne. Mae Carson yn gadael i Chico gyflawni'r weithred o ddial oherwydd mai ef sydd wedi dioddef fwyaf ond mae'n bwysig cofio mai fel Indiad a "brawd" i Chico yr aeth Carson i gasglu Dicks ac Indiad yw Carson mewn gwirionedd yn y rhan hon o'r nofel. Mae'r frwydr fewnol o fewn cymeriad Carson yn cyrraedd ei huchafbwynt yn y dyfyniad hwn.

"Diffoddodd haul y bore." (t.188)

Mae'r awdur yn defnyddio'r llinell hon yn hytrach na dweud "Y diwedd". Mae'n cyfeirio at yr "haul" neu'r "wawr" yn gyson drwy'r nofel ochr yn ochr â chymeriad Haul y Bore a dyma'r llinell olaf sy'n cloi'r holl hanes. Mae'n rhaid hefyd cofio areithiau Manuelito wrth i ni ddarllen y llinell hon a chofio symbolaeth yr haul a chymeriad Haul y Bore. Mae'r haul a Haul y Bore yn cynrychioli llwyth y Navaho a holl lwythau'r Indiaid, eu traddodiadau a'u ffordd o fyw. Llwyddodd y Cotiau Glas ac awch y setlwyr gwyn am diroedd i ddifa ffordd o fyw yr Indiaid neu'r Americaniaid brodorol yn ogystal â lladd miloedd ohonyn nhw yn enw cynnydd. Llwyddwyd i ddiffodd haul yr Indiaid ac mae trasiedi Bosque Redondo a'r Daith Faith yno yn rhan bwysig iawn o'r hanes a arweiniodd at hynny.

12. Cwestiynau arholiad

CWESTIWN 1

HAEN SYLFAENOL

Darllenwch y darn o *I Ble'r Aeth Haul y Bore?* ar y dudalen nesaf. Yna atebwch y cwestiynau sy'n dilyn yn llawn a gofalus gan ddyfynnu'n bwrpasol.

(a) Pwy yw Geronimo?
     Pam ei fod o'n bwysig i stori'r nofel? Rhowch ddau reswm.   [3]

(b) Nodwch **ddau** beth rydych chi wedi ei ddysgu am ffordd o fyw llwythau'r
     Indiaid, yr Apache a'r Navaho wedi darllen y nofel.   [3]

(c) Mae'r frwydr hon yn digwydd y tu allan i Ffort Defiance. Ysgrifennwch hanes **un**
     digwyddiad pwysig o'r nofel sy'n digwydd y tu mewn neu y tu allan i Ffort
     Defiance. Eglurwch beth sy'n digwydd ac yna dywedwch pam mae'r digwyddiad
     yn bwysig. Dylech ysgrifennu tua ½ tudalen.   [10]

(ch) Sut **gymeriad** yw'r Cadfridog Carleton.
     Rhowch enghreifftiau o'r ffordd y mae'n ymddwyn.   [6]

(d) (i)   Edrychwch ar arddull llinellau 35-38 yn y darn.
           "Sut ar wyneb y ddaear yr oedd o i egluro i swyddogion yn Washington
           iddo golli dros ddau gant o ddynion mewn un frwydr? Oedd o'n rhy
           feddal hefo'r Indiaid? Tybed?"
           Dywedwch pam y mae'r darn hwn yn effeithiol.   [2]

     (ii) Edrychwch ar arddull llinellau 40-42 yn y darn.
           "Roedd ei gorff wedi'i drochi mewn gwaed – gwaed y Cotiau Glas – ac
           wedi'i blethu i'w wallt roedd swp o blu. Plu gwynion."
           Dywedwch pam y mae'r darn hwn yn effeithiol.   [2]

     (iii) Chwiliwch am enghraifft arall o nodwedd arddull yn y darn.
           • Dyfynnwch y nodwedd.
           • Enwch y nodwedd.
           • Dywedwch pam mae'r nodwedd yn effeithiol.   [4]

(dd) Dychmygwch mai chi yw **Geronimo**.

Ysgrifennwch **bortread o Kit Carson** drwy ei lygaid ef.

Rhowch enghreifftiau o'r ffordd y mae'n ymddwyn.

Wrth ysgrifennu cofiwch mai chi yw Geronimo.

Dylech ysgrifennu tua ½ tudalen.   [10]

*****

1   Ceisiodd rhai o'r milwyr ddianc yn ôl i ddiogelwch y Ffort, ond
2   yn ofer. Wedi cwta awr o frwydro ffyrnig, roedd y llain tir
3   rhwng y Ffort a'r goedwig yn un pwll diflas o gyrff. Dynion a
4   cheffylau, a'u gwaed yn gymysg. Roedd yna gryn gant o Indiaid
5   llonydd, roedd ychwaneg wedi'u clwyfo. Doedd dim un o'r Cotiau
6   Glas yn dal ar ei draed, er fod nifer fawr yn gorwedd yn
7   aflonydd, yn griddfan, neu yn ceisio codi.

8   Roedd Carleton yn gwybod mai ofer fyddai iddo geisio ymuno
9   yn y frwydr gydag ychwaneg o ddynion. Prin hanner cant oedd
10 ganddo ar ôl i amddiffyn y Ffort – roedd y gweddill wedi mynd
11 i ganlyn Dicks i Geunant de Chelley. Gallai gicio'i hun am fod
12 mor wirion â disgyn i drap yr Apache, ond doedd o erioed wedi
13 dychmygu fod gan Geronimo y fath niferoedd y tu cefn iddo.
14 Doedd o erioed ychwaith wedi gweld y fath ffyrnigrwydd yn eu
15 brwydro.

16 Gwyliai'r Apache yn taenu cyrff eu cymrodyr meirwon yn un
17 rhes hir, cyn eu gorchuddio â changhennau'r coed, ac yna'u
18 tanio. Cododd arogl anhyfryd cyrff yn llosgi i'r awyr.

19 Yna, gan wybod fod Carleton yn gwylio pob symudiad,
20 amneidiodd Geronimo ar ei ddynion i ddwyn arfau milwyr y
21 Cotiau Glas i gyd. Yna, pan oedd y cyfan wedi'u casglu,
22 gafaelodd Geronimo yn ei bicell a cherddodd ugain llath tuag at

23   y Ffort. Plethodd blu gwynion yn eu hesgyll, a chyda hyrddiad
24   anferth taflodd hi'n uchel i'r awyr. Disgynnodd y bicell rhyw
25   ddecllath o'i flaen, a'i phaladr yn dynn ym mhridd y ddaear.
26   Crynodd y plu gwynion am ennyd, ac yna llonyddodd y bicell.
27   Daliai'r plu i symud yn y gwynt.

28   Gwyddai Carleton mai neges iddo fo oedd hynny. Tir yr Apache
29   oedd hwn, a doedden nhw ddim yn mynd i'w ildio heb ymladd.
30   Roedd pwll ei stumog yn corddi. Roedd o wedi credu erioed mai
31   mater bychan fyddai symud yr Indiaid i Bosque Redondo. Yn
32   sicr, rhoddwyd iddo ddigon o ddynion ac arfau, ond sut ar
33   wyneb y ddaear yr oedd ymladd gelyn oedd yn diflannu'n llwyr
34   yn ystod y dydd ac yna'n ymddangos yn annisgwyl? Rhoddodd ei
35   ben yn ei ddwylo. Sut ar wyneb y ddaear yr oedd o i egluro i
36   swyddogion yn Washington iddo golli dros ddau gant o ddynion
37   mewn un frwydr? Oedd o'n rhy feddal hefo'r Indiaid? Tybed?

38   Yn hwyrach y noson honno, i gyfeiliant bloeddiadau'r Indiaid
39   carlamodd ceffyl i gyfeiriad y Ffort. Ynghlwm ar ei gefn roedd
40   Kit Carson. Roedd ei gorff wedi'i drochi mewn gwaed – gwaed y
41   Cotiau Glas – ac wedi'i blethu i'w wallt roedd swp o blu. Plu
42   gwynion.

*****

HAEN UWCH

Darllenwch y darn o *I Ble'r Aeth Haul y Bore?* ar y tudalennau blaenorol. Yna atebwch y cwestiynau sy'n dilyn yn llawn a gofalus gan ddyfynnu'n bwrpasol. (Ystyriwch y marciau a roddir am bod cwestiwn.)

(a) Trafodwch **ddwy** olygfa o'r nofel lle ceir enghreifftiau penodol o drais rhwng llwythau'r Indiaid a'r Cotiau Glas a nodwch beth yw effaith y trais hwn ar blot y nofel? [10 x 2]

(b) Sut mae'r awdur yn darlunio Carleton fel arweinydd gwan yn y darn? [10]

(c) Ysgrifennwch **lythyr** oddi wrth Kit Carson at Geronimo a llwyth yr Apache yn cyfleu ei deimladau ar ddiwedd y nofel hon.
Ysgrifennwch tua 1 ½ tudalen. [10]

*****

CWESTIWN 2

HAEN SYLFAENOL

Darllenwch y darn o *I Ble'r Aeth Haul y Bore?* ar y dudalen nesaf. Yna atebwch y cwestiynau sy'n dilyn yn llawn a gofalus gan ddyfynnu'n bwrpasol.

(a) Pwy yw Chiquito?
Pam ei fod o'n bwysig i stori'r nofel? Rhowch ddau reswm. [3]

(b) Enwch ddau beth a wnaeth y Cotiau Glas i'r Indiaid Cochion. [3]

(c) Ysgrifennwch hanes **un** digwyddiad pwysig o'r nofel sy'n sôn am Geunant de Chelley, cartref Haul y Bore a llwyth y Navaho. Eglurwch beth sy'n digwydd ac yna dywedwch pam mae'r digwyddiad yn bwysig.
Dylech ysgrifennu tua ½ tudalen. [10]

(ch) Sut **gymeriad** yw Manuelito.
Rhowch enghreifftiau o'r ffordd y mae'n ymddwyn. [6]

(d) (i) Edrychwch ar arddull llinell 15 yn y darn.
"Gallai redeg fel ei thad a'i brodyr. Rhedeg fel yr ewig a'r hydd."
Dywedwch pam y mae'r darn hwn yn effeithiol. [2]

(ii)   Edrychwch ar arddull llinellau 35-36 yn y darn.
"Yno roedd Ceunant de Chelley, Manuelito, Juanita, lloches a diogelwch."
Dywedwch pam y mae'r darn hwn yn effeithiol.   [2]

(iii)   Chwiliwch am enghraifft arall o nodwedd arddull yn y darn.
- Dyfynnwch y nodwedd.
- Enwch y nodwedd.
- Dywedwch pam mae'r nodwedd yn effeithiol.   [4]

(dd)   Dychmygwch mai chi yw **Haul y Bore**.
Ysgrifennwch **bortread o Chico** drwy ei llygaid hi.
Rhowch enghreifftiau o'r ffordd y mae'n ymddwyn.
Wrth ysgrifennu cofiwch mai chi yw Haul y Bore.
Dylech ysgrifennu tua ½ tudalen.   [5]

*****

1   Roedd Haul y Bore yn dal i redeg drwy'r coed. Roedd hi wedi
2   bod yn rhedeg am y rhan fwyaf o'r dydd ond yr unig beth a
3   wibiai trwy'i meddwl oedd darluniau erchyll y diwrnod cynt.
4   Roedd Chiquito wedi marw.

5   "Marw."

6   Ailadroddodd y gair yn uchel wrthi'i hun. Roedd marw am byth.
7   Welai hi mohono eto. Châi hi ddim ei gyflwyno i'w dad. Roedd o
8   wedi marw oherwydd y dyn gwyn a'i drais. Roedd hi'n cofio
9   wyneb y trais hefyd. Roedd pob manylyn wedi'i serio ar ei chof.
10   Y llygaid creulon, y dannedd brown, y blew coch a'r graith wen
11   o dan ei lygad chwith. Ei gyllell hir ... Ysbonciodd dagrau i'w
12   llygaid a syrthiodd yn swp ar lawr.

13   Bu'n gorwedd yno am rai munudau cyn dod ati'i hun. Gwyddai
14   fod yn rhaid iddi ddal i redeg. Dyna un peth y gwyddai sut i'w
15   wneud. Gallai redeg fel ei thad a'i brodyr. Rhedeg fel yr ewig

16   a'r hydd. Gêm oedd rhedeg iddyn nhw'n blant. 'Rhedeg rhag y
17   dyn gwyn' oedden nhw'n galw'r gêm, ac ar ddiwrnod da gallai
18   Haul y Bore redeg hyd at ddeugain milltir.

19   Edrychodd ar yr haul. Gallai'n awr ddilyn yr afon i'r gogledd am
20   ryw awr, yna gwyro i'r gorllewin. Pe bai'n cael gafael ar geffyl
21   fe fyddai'n ôl yng Ngheunant de Chelley ymhen ychydig
22   ddyddiau, ond y peth pwysicaf rŵan oedd dianc o afael y Cotiau
23   Glas.

24   Dilynodd yr afon gan gadw'n agos at y coed. Yna llamodd ei
25   chalon. O'i blaen gwelai'r afon yn culhau ac o boptu iddi olion
26   carnau ceffylau ac olwynion wagenni a oedd wedi rhydio'r afon
27   yn y fan yma. Roedd hi wedi cyrraedd y ffordd a arweiniai at
28   Santa Fe. Gallai'n awr droi tua'r gorllewin ac am adref.

29   Arafodd ei cham. Ymhen awr neu ddwy eto, gallai guddio a
30   gorffwys tan y bore. Dilynodd y ffordd am rai milltiroedd cyn
31   gadael y coed o'i hôl. Cerddai'n hamddenol braf. Ymestynnai
32   gwlad eang o'i blaen, peth ohoni'n dir ffrwythlon a choediog,
33   ond roedd y ffordd yn arwain trwy anialdir caregog a
34   chreigiog. Yn y pellter gallai weld Mynyddoedd y Chusca.
35   Gwenodd a daeth sbonc yn ôl i'w cham. Yno roedd Ceunant de
36   Chelley, Manuelito, Juanita, lloches a diogewlch.

37   Troes yn ei hôl yn sydyn. Roedd wedi clywed sŵn carnau
38   ceffylau. Roedd yna bedwar neu bump o geffylau yn ei dilyn.
39   Dechreuodd redeg. Diawliodd ei hun am grwydro mor bell o
40   gysgod y coed tra oedd yr haul yn uchel yn y nen. Rhedodd yn
41   syth at y clwmp agosaf o goed oedd tua hanner milltir draw.
42   Roedd hi'n gwybod bod y ceffylau yn ei dilyn oherwydd clywai
43   lais yn gweiddi a sŵn carlamu'r ceffylau'n dod yn nes.

44 Gwyddai yn ei chalon na fyddai byth yn cyrraedd y coed. Roedd
45 rhywun yn gweiddi. Roedd y ceffylau ar ei gwarthaf. Baglodd a
46 syrthio ar ei hwyneb. Sgrechiodd.

47 "Chiquito! Chiquito!"

48 Yna, roedd twrf o'i hamgylch. Ceffylau aflonydd. Coesau
49 ceffylau, carnau cefffylau. Suddodd ei chalon. Daeth pâr o
50 esgidiau lledr, gloyw i'r golwg. Esgidiau yn perthyn i un o filwyr
51 y Cotiau Glas.

*****

HAEN UWCH

Darllenwch y darn a gymerwyd o *I Ble'r Aeth Haul y Bore?* uchod. Yna atebwch y cwestiynau sy'n dilyn yn llawn a gofalus gan ddyfynnu'n bwrpasol. (Ystyriwch y marciau a roddir am bob cwestiwn.)

(a) Trafodwch **ddwy** olygfa o'r nofel lle ceir enghreifftiau penodol o ddial a nodwch beth yw effaith y dial hwn ar blot y nofel? [10 x 2]

(b) Sut mae'r awdur yn darlunio dicter Haul y Bore? [10]

(c) Ysgrifennwch **ymson Manuelito** ar ddiwedd y nofel hon.
Ysgrifennwch tua 1½ tudalen. [10]

13. Atebion enghreifftiol i'r cwestiynau

CWESTIWN 1

HAEN SYLFAENOL:

Darllenwch y darn o *I Ble'r Aeth Haul y Bore?* Yna atebwch y cwestiynau sy'n dilyn yn llawn a gofalus gan ddyfynnu'n bwrpasol.

(a)   Pwy yw Geronimo?
        Pam ei fod o'n bwysig i stori'r nofel? Rhowch ddau reswm.   [3]

Ateb enghreifftiol:
Geronimo yw un o benaethiaid llwyth yr Apache ac mae'n llysdad i Chico. Mae'n bwysig i'r stori hon oherwydd mai Geronimo yw taid Chiquitio, sy'n cael ei lofruddio ar ddechrau'r nofel ac mae o hefyd yn dad yng nghyfraith i Haul y Bore, sy'n cael ei threisio gan y Cotiau Glas. Mae'r ddau ddigwyddiad yma yn gwneud Geronimo a llwyth yr Apache yn flin iawn tuag at y Cotiau Glas. Geronimo sy'n paratoi Chico ar gyfer bod yn un o benaethiaid llwyth yr Apache rhyw ddydd.

(b)   Nodwch **ddau** beth rydych chi wedi ei ddysgu am ffordd o fyw llwythau'r
        Indiaid, yr Apache a'r Navaho wedi darllen y nofel.   [3]

Ateb enghreifftiol:
Cartref llwyth y Navaho yw Ceunant de Chelley ac roedd ogofâu yno a thir ffrwythlon iawn. Roedd yr Apache yn byw mewn tipis ac yn hela'r byffalo. Byddai'r Navaho a'r Apache yn cyfnewid nwyddau a bwyd unwaith y flwyddyn a byddai'r Apache yn cael helfa flynyddol i ddarparu stôr o fwyd ar gyfer y gaeaf. Pan gafodd Chiquito ei eni mae Haul y Bore yn ei rolio i'r pedwar gwynt ac yn gosod y brych yn uchel ar frigyn coeden – hon yw "Coeden Chiquitio".

(c)   Mae'r frwydr hon yn digwydd y tu allan i Ffort Defiance. Ysgrifennwch hanes **un**
        digwyddiad pwysig o'r nofel sy'n digwydd y tu mewn neu y tu allan i Ffort
        Defiance. Eglurwch beth sy'n digwydd ac yna dywedwch pam mae'r digwyddiad
        yn bwysig.
        Dylech ysgrifennu tua ½ tudalen.   [10]

Ateb enghreifftiol:

Y tu allan i Ffort Defiance mae un o'r digwyddiadau mwyaf erchyll yn y nofel hon yn digwydd. Mae 2,500 o Indiaid yn disgwyl y tu allan i'r Ffort i ddechrau ar y Daith Faith i Bosque Redondo. Roedd Manuelito, un o ricos y Navaho, yn flin iawn oherwydd y ffordd roedd y Cotiau Glas yn trin yr Indiaid y tu allan i'r Ffort a rhoddodd dri diwrnod i'r Cadfridog Carleton i gael bwyd, lloches a chynhesrwydd i'r Indiaid neu mae'n bygwth y bydd y Navaho yn dychwelyd i Geunant de Chelley. Daw'r Is-gyrnol Kit Carson yn ôl i'r Ffort gan ddweud bod Dicks ar ei ffordd yno. Mae'r Capten Victor Dicks wedi bod yn claddu cyrff milwyr oedd yn dioddef o'r frech wen ac i fod i losgi eu blancedi. Pan ddaw Dicks yn ôl i'r Ffort mae'n gweld yr Indiaid yn yr oerni y tu allan i'r Ffort ac yn cael syniad erchyll. Mae Dicks a'i filwyr yn deffro'r Navaho ac yn cynnig y blancedi sydd wedi'u heintio â'r frech wen iddyn nhw! Nid yw'r Navaho yn sylweddoli mai blancedi wedi'u heintio â'r frech wen yw'r rhain ac maen nhw'n eu derbyn gyda diolch. Yn dilyn hyn yn y Ffort mae Dicks yn dawnsio dawns ryfel â blanced amdano er mwyn diddanu'r milwyr. Pan mae Carson yn gweld hyn mae'n gwylltio ac yn taro Dicks â'i wn. Mae pethau'n ddrwg iawn rhwng Carson a Dicks erbyn hyn ac mae Carson yn carcharu Dicks yn Ystafell Warchod y Ffort.

(ch) Sut **gymeriad** yw'r Cadfridog Carleton.
Rhowch enghreifftiau o'r ffordd y mae'n ymddwyn.   [6]

Ateb enghreifftiol:

Y Cadfridog Carleton sy'n gyfrifol am Ffort Defiance ac mae'n gyfrifol am lawer o filwyr y Cotiau Glas. Nid yw Carleton yn arweinydd cryf iawn oherwydd mae'n gofyn i Carson beth ddylai ei wneud o hyd. Mae Carleton yn hoff iawn o ddangos ei awdurdod ac nid yw'n hoffi i unrhyw un ddadlau ag ef. Bydd yn codi ei lais pan fydd yn flin ac yn gorchymyn i filwyr eraill wneud beth mae o eisiau iddyn nhw ei wneud. Yn y darn hwn mae'n siomedig iawn ei fod wedi colli cymaint o ddynion ac mae'n credu mai ei fai o ydi'r cyfan ac a dweud y gwir mae o'n hollol gywir! Roedd o wedi mynd yn ben mawr. Doedd o ddim wedi meddwl y gallai Geronimo fod mor gryf a doedd ddim wedi disgwyl iddyn nhw ymosod mor ffyrnig. Mae llwythau'r Indiaid yn cael amser caled iawn gan Carleton a bydd yn ymosod yn greulon arnyn nhw os nad ydyn nhw'n gwneud fel mae o eisiau iddyn nhw ei wneud. Dyma ddigwyddodd i'r Navaho pan oedden nhw'n gwrthod symud o Geunant de Chelley – gorfododd Carleton nhw i symud drwy drais. Mae'n filwr rhyfelgar iawn ac yn gadael i Dicks wneud pethau ofnadwy, fel lladd Chiquito, heb ofyn cwestiynau. Rydw i'n credu bod hyn yn dangos bod Carleton yn gymeriad drwg ond hefyd yn gymeriad penderfynol iawn.

(d) (i) Edrychwch ar arddull llinellau 35-38 yn y darn.
"Sut ar wyneb y ddaear yr oedd o i egluro i swyddogion yn Washington iddo golli dros ddau gant o ddynion mewn un frwydr? Oedd o'n rhy feddal hefo'r Indiaid? Tybed?"
Dywedwch pam y mae'r darn hwn yn effeithiol. [2]

Ateb enghreifftiol:
Mae'r llinell hon yn cynnwys tri chwestiwn rhethregol sy'n dangos teimladau Carleton yn dilyn colli cymaint o filwyr yn y frwydr hon. Mae Carleton mewn gwewyr meddwl ac yn ansicr iawn. Mae'r cwestiynau hyn yn dangos nad yw'n arweinydd cryf iawn ac mae'n ofni beth fydd ymateb ei swyddogion yn Washington. Mae'r awdur yn llwyddo i ddangos cyflwr meddwl y cymeriad yn effeithiol drwy ddefnyddio'r cwestiynau hyn.

(ii) Edrychwch ar arddull llinellau 40-42 yn y darn.
"Roedd ei gorff wedi'i drochi mewn gwaed – gwaed y Cotiau Glas – ac wedi'i blethu i'w wallt roedd swp o blu. Plu gwynion."
Dywedwch pam y mae'r darn hwn yn effeithiol. [2]

Ateb enghreifftiol:
Mae'r dyfyniad hwn yn cynnwys dwy enghraifft o ailadrodd. Caiff y gair "gwaed" ei ailadrodd i greu delwedd rymus a rhoddir pwyslais ar y ffaith mai gwaed y Cotiau Glas ydyw, sef y rhai sydd wedi dioddef fwyaf yma. Hefyd caiff y gair "plu" ei ailadrodd er mwyn pwysleisio mai'r Apache, a fu'n fuddugol. Mae defnyddio'r gair "gwynion" hefyd yn creu cyferbyniad o ystyried cymaint o drais sydd wedi digwydd yn y frwydr hon.

(iii) Chwiliwch am enghraifft arall o nodwedd arddull yn y darn.
• Dyfynnwch y nodwedd.
• Enwch y nodwedd.
• Dywedwch pam mae'r nodwedd yn effeithiol. [4]

Ateb enghreifftiol:
"Roedd y llain tir rhwng y Ffort a'r goedwig yn un pwll diflas o gyrff."
Mae'r llinell hon yn cynnwys trosiad arswydus sy'n disgrifio pa mor erchyll yw'r olygfa y tu allan i'r Ffort yn dilyn y frwydr hon. Mae'r tir i gyd rhwng y Ffort a'r goedwig yn cael ei ddisgrifio fel pwll diflas sy'n llawn gwaed a chyrff milwyr ac Indiaid a cheffylau ac mae'r trosiad yn creu delwedd gofiadwy.

(dd) Dychmygwch mai chi yw **Geronimo**.
Ysgrifennwch **bortread o Kit Carson** drwy ei lygaid ef.
Rhowch enghreifftiau o'r ffordd y mae'n ymddwyn.
Wrth ysgrifennu cofiwch mai chi yw Geronimo.
Dylech ysgrifennu tua ½ tudalen. [10]

Ateb enghreifftiol:

Mae'r Is-gyrnol Kit Carson a'r Cotiau Glas i gyd wedi dysgu gwers bwysig iawn heddiw. Heddiw cafodd dros ddau gant ohonyn nhw eu lladd ac fe fyddan nhw'n cofio Brwydr Ffort Defiance ac enw "Geronimoooo!" am byth. Maen nhw'n dweud bod Kit Carson yn filwr da ac yn gyrnol sy'n cael ei barchu ond i mi y mae'r Cotiau Glas i gyd yn ddrwg. Fe ddaliodd Cochise, Carson yn cysgu "fel hen wraig" ac fe gafodd ei lusgo y tu ôl i geffyl Cochise ata i – roedd yn bleser ei weld felly! Rwy'n gwybod ei fod yn cael ei barchu gan ein cefndryd, y Navaho, ac yn cael ei alw'n "Taflwr Rhaffau" ganddyn nhw ond dydyn ni, yr Apache, ddim am siarad a siarad fel Manuelito. Rwy'n credu bod Carson yn deall ffyrdd yr Indiaid yn well na'i gyd-filwyr a dywedodd wrthon ni ei fod wedi bod yn byw gyda'n cefndryd yn llwyth y Cheyenne a bod ganddo blentyn sy'n un o'r Arapaho. Mae'n siarad ac yn ymddwyn yn wahanol i'r Cotiau Glas eraill ac rwy'n credu ei fod eisiau helpu'r Indiaid ac mae'r stori amdano yn mynd i siarad â Manuelito yng Ngheunant de Chelley yn enwog ymysg yr Indiaid – dyna pam wnes i mo'i ladd o ond yn hytrach ei anfon yn ôl at y Cotiau Glas wedi ei glymu ar gefn ei geffyl. Fe allai Carson fod yn werthfawr iawn i ni yn fyw. Mae o'n ddigon dewr i sefyll dros yr hyn mae o'n gredu sy'n iawn ac nid dilyn gorchmynion o Washington fel llo ac rydw i'n parchu hynny. Bydd Chico, fy mab, angen help i ddial ar y Cotiau Glas rhyw ddiwrnod ac rwy'n siŵr mai Carson fydd y dyn i'w helpu.

*****

HAEN UWCH

Darllenwch y darn a gymerwyd o *I Ble'r Aeth Haul y Bore?* Yna atebwch y cwestiynau sy'n dilyn yn llawn a gofalus gan ddyfynnu'n bwrpasol. (Ystyriwch y marciau a roddir am bob cwestiwn.)

(a) Trafodwch **ddwy** olygfa o'r nofel lle ceir enghreifftiau penodol o drais rhwng llwythau'r Indiaid a'r Cotiau Glas a nodwch beth yw effaith y trais hwn ar blot y nofel? [10 x 2]

Ateb enghreifftiol:

Saith niwrnod oed oedd Chiquito pan ymosododd y Cotiau Glas ar wersyll yr Apache. Aethai'r rhan fwyaf o ddynion llwyth yr Apache i hela ond gadawyd chwe gŵr ifanc ar ôl i warchod y gwersyll. Sgowtiaid Arapaho, hanner brid a arweinodd y Cotiau Glas at y gwersyll hwn. Pan glywodd Haul y Bore y milwyr yn dod rhedodd i'r babell i achub Chiquito ac yna rhedeg tua'r coed. Gwelodd y Capten Victor Dicks hi'n dianc a'i dal. Gwthiodd Dicks ei gleddyf i stumog Chiquito a thorri ei ben a'i ddal ar flaen y cleddyf. Ceisodd Haul y Bore drywanu Dicks â chyllell ond ni lwyddodd i'w daro a threisodd Dicks hi o flaen ei filwyr. Llwyddodd Haul y Bore i daro Dicks ar ei ben â charreg ac yna ei frathu yn ei wddf cyn iddi redeg i'r coed. Gwelodd Quanah, hen wraig ddoeth yr Apache, bopeth a hi a ddywedodd yr hanes hwn wrth Chico. O safbwynt plot y nofel y trais hwn sy'n gyfrifol am ddiflaniad Haul y Bore a'r cwestiwn sy'n deitl i'r nofel "I Ble'r Aeth Haul y Bore?" O ganlyniad i'r trais hwn hefyd bydd Chico yn dial ar y Cotiau Glas yn eu gwersyll eu hunain i ddechrau drwy daflu'r gasgen o bowdr du a blaenau saethau i'w tân. Bydd y dialedd hwn a'i ganlyniadau yn llinyn arian trwy blot y nofel gan gyrraedd uchafbwynt pan fydd dialedd Chico yn gyflawn ar ddiwedd y nofel wedi iddo saethu Dicks y tu allan i Ffort Defiance.

*****

Gwrthododd Kit Carson wneud y gwaith ac felly gorchmynnodd Carleton y Capten Victor Dicks i ddinistrio Ceunant de Chelley. Gadawodd ddau gant o filwyr y Cotiau Glas o Ffort Defiance i ddifa'r Ceunant yn cario gwenwyn, calch, bwyeill, llifiau a casgenni o kersosene. Roedd y prif wersyll ddwy filltir i fyny'r Ceunant a dyma i ble yr oedd Dicks a'i filwyr yn anelu ato wrth ddechrau ar eu gwaith o ladd bywyd yn y Ceunant drwy losgi'r tipis â kerosene a thaflu potelaid o wenwyn i bob twll dŵr. Roedd llwyth y Navaho yn cuddio yn yr ogofâu yn y creigiau yn uchel uwchben y Cotiau Glas ac yn eu gwylio yn difa eu cartref. Roedden nhw wedi cuddio eu hanifeiliaid ond llosgi'r gwersylloedd a llosgi'r cnydau oedd prif fwriad y Cotiau Glas ac fe gawsant bleser mawr yn y gwaith caled o ddifa'r perllannau a gymerodd ganrifoedd i dyfu. Bu'r Cotiau Glas wrthi am bedwar diwrnod yn difa Ceunant de Chelley fel nad oedd hi'n bosib i'r Navaho fyth fyw ynddo eto. O safbwynt plot y nofel mae'r trais hwn yn gorfodi'r Navaho i adael y Ceunant a chanlyniad hyn fydd y bydd rhaid iddyn nhw ddechrau ar y Daith Faith i'r Bosque. Dyma ddechrau'r diwedd i lwyth y Navaho ond mae'r weithred hon yn hogi awydd nifer o'r prif gymeriadau i ddial ar y Cotiau Glas yn ogystal.

(b)   Sut mae'r awdur yn darlunio Carleton fel arweinydd gwan yn y darn?

[10]

Ateb enghreifftiol:
O'r dechrau mae'r awdur eisiau i ni sylweddoli mai penderfyniad annoeth y Cadfridog Carleton, i anfon ei filwyr o'r Ffort i ymosod ar yr Apache a'u harweinydd Geronimo, oedd yn gyfrifol am y trais a'r gwastraff bywyd a welir yn y darn hwn. Mae'r awdur yn agor y darn drwy ddarlunio canlyniadau gwaedlyd y frwydr a chawn y trosiad "un pwll diflas o waed" er mwyn creu delwedd o ddinistr erchyll. Cawn ddefnydd o'r negyddol mewn llinellau fel, "Doedd dim un o'r Cotiau Glas yn dal ar ei draed" sy'n pwysleisio mai penderfyniad annoeth Carleton arweiniodd at y dinistr hwn ac er fod hwn yn ddarn a ysgrifennwyd yn y trydydd person gwelwn y digwyddiad o safbwynt Carleton yn y rhan gyntaf. Drwy adrodd y digwyddiad o safbwynt Carleton mae'r awdur am i'r darllenydd synhwyro ei fod wedi gwneud camgymeriad yn arwain ei filwyr i'r frwydr hon. Mae'r defnydd o ymadroddion fel "gallai gicio'i hun am fod mor wirion â disgyn i drap yr Apache" yn ategu ansicrwydd Carleton ac yma'n awgrymu ei fod yn flin ag ef ei hun. Efallai bod canlyniadau'r frwydr hon wedi gwneud iddo sylweddoli rhai o'i wendidau ei hun fel arweinydd ac nid oes neb ganddo i'w feio ond ef ei hun a gwelwn hyn eto gyda'r trosiad, "roedd pwll ei stumog yn corddi" – sy'n llwyddo unwaith eto i gyfleu gwewyr meddwl Carleton. Drwy ailadrodd y geiriau "Doedd o erioed ..." mae Carleton yn pwysleisio bod yr ymosodiad yn un annisgwyl ond mae Carleton fel pe bai'n ceisio egluro ei gamgymeriad a thrwy hynny mae'r awdur yn gwneud iddo geisio cyfiawnhau ei benderfyniad byrbwyll. Ceir rhyngdoriad yn y naratif i ddangos meddyliau Geronimo, "Yna, gan wybod fod Carleton yn gwylio pob symudiad ..." ac mae'r newid safbwynt hwn yn amlygu'r cyferbyniad rhwng cryfder Geronimo a gwendid Carleton a gwneir hynny'n gynnil iawn gan yr awdur. Mae Eirug Wyn yn cloi'r darn hwn â chyfres o gwestiynau rhethregol "Oedd o'n rhy feddal hefo'r Indiaid? Tybed?" ac mae pob un ohonynt yn ychwanegu at wewyr meddwl y cymeriad, ei ansicrwydd a'i wendid ar yr adeg hon.

(c)   Ysgrifennwch **lythyr** oddi wrth Kit Carson at Geronimo a llwyth yr Apache yn cyfleu ei deimladau ar ddiwedd y nofel hon.
       Ysgrifennwch tua 1 ½ tudalen.

[10]

Ateb enghreifftiol:
Ardderchocaf Geromino, pennaeth llwyth hynafol yr Apache,
Gwyddoch pwy ydw i ac felly nid ydw i'n disgwyl i chi barhau i ddarllen y geiriau hyn. Rydw i'n cynrychioli popeth yr ydych chi'n ei ystyried yn ddrwg a difaol a dydw i ddim yn deilwng o dderbyn maddeuant gennych. Pan gefais fy nal gan Cochise a'm hebrwng

atoch yn garcharor cyn Brwydr Ffort Defiance credwn bod fy mywyd ar ben. Credais eich bod yn arweinydd o egwyddor ac felly ymbiliais am fy mywyd drwy ddefnyddio yr unig arf a oedd gennyf ar y pryd, sef y gwirionedd. Dywedais wrthych bryd hynny am fy hanes i a hanes fy nheulu. Soniais yn arbennig am fy merch, sy'n un o lwyth yr Arapaho, eich cefndryd chi yr Apache a dywedais wrthych fy mod yn teimlo yn nes atoch chi fel pobl nag at y dyn gwyn. Gwas cyflog oeddwn i i'r Cotiau Glas ac rydw i wedi talu'n ddrud am dderbyn arian wedi'i drochi yng ngwaed yr Indiaid. Ymunais i â'r Cotiau Glas i gael gwared â chaethwasiaeth ac fe fûm i yn un o'r rhai a wnaeth gaethweision o aelodau o'ch llwyth chi a sawl llwyth arall – mae'n wir ddrwg gen i am hynny heddiw. Adeg Brwydr Ffort Defiance edmygais eich dewrder, Geronimo a phan oeddwn wedi fy nghlymu ar gefn y geffyl hwnnw yn cael fy anfon yn ôl mewn cywilydd at fy myddin teimlwn yn fy nghalon mai gyda chi y dymunwn fod – eich brwydr chi oedd fy mrwydr i ond ni allwn egluro hynny i chi. Ceisiodd Manuelito a'r Navaho ymladd â'r dyn gwyn drwy eiriau a cholli Ceunant de Chelley, cartref eu cyndeidiau ond chi, Geronimo, gododd ofn ar y Cotiau Glas drwy eich gweithredoedd ac nid eich geiriau. Pobl falch yw eich pobl chi a phobl sy'n haeddu parch. Gwn fod nifer o aelodau llwyth yr Apache ar y Bosque Redondo heddiw ond y mae eu calonnau yn dal ar eich tiroedd ac ni all y Cotiau Glas fyth ddeall y cwlwm rhwng yr Apache a'u tir. Y prif reswm dros ysgrifennu atoch yw i ddweud wrthych fy mod i'n gwybod fod yr holl hanes am ddial eich llysfab Chico, heddwch i'w enaid, yn wir. Gallaf ddweud hynny oherwydd roeddwn i yno. Lladdwyd Dicks, llofruddiwr eich ŵyr bach, Chiquito a threisiwr eich merch yng nghyfraith, o flaen fy llygaid ac nid anghofiaf fyth y wên ar wyneb Chico cyn iddo yntau hefyd ein gadael. Gwelodd Dicks haul y bore hwnnw'n codi ac yna caewyd ei lygaid. Un yn unig o'r Cotiau Glas oedd Dicks ond gobeithiaf yn fawr y bydd cael gwybod i sicrwydd am ei dranc yn lleddfu rhywfaint ar eich poen chi, Geronimo. Gwn y bydd dial Usen yn ofnadwy am ddwyn eich tiroedd ac fe fydd yr Apache yn codi eto i saethu saethau at Ddraig y dyn gwyn. Gyda hynny o eiriau rhaid i mi ffarwelio a gofyn unwaith eto wrth fynd am i chi geisio gweld lle yn eich calon i faddau i mi ond deallaf yn iawn os nad yw hynny'n bosibl.

Yn gywir iawn,

Y Taflwr Rhaffau

CWESTIWN 2

HAEN SYLFAENOL:

Darllenwch y darn o *I Ble'r Aeth Haul y Bore?* Yna atebwch y cwestiynau sy'n dilyn yn llawn a gofalus gan ddyfynnu'n bwrpasol.

(a)   Pwy yw Chiquito?
        Pam ei fod o'n bwysig i stori'r nofel? Rhowch ddau reswm.   [3]

Ateb enghreifftiol:
Chiquito yw mab Haul y Bore o lwyth y Navaho a Chico o lwyth yr Apache. Mae'n bwysig iawn i'r nofel oherwydd cafodd ei lofruddio gan gapten ym myddin y Cotiau Glas o'r enw Victor Dicks drwy gleddyf yn ei stumog a thorri ei ben. Mae Chiquito yn ŵyr i Manuelito, sy'n un o ricos y Navaho ac yn ŵyr i Geronimo, sy'n un o benaethiaid yr Apache ac mae'r ddau yma'n bobl bwysig iawn i'r Indiaid a bydd y ddau yma eisiau dial am ei lofruddio. Llofruddiaeth Chiquito ar ddechrau'r nofel sy'n arwain at ddial Chico, ei dad, ar y Cotiau Glas. Mae lladd Chiquito yn dechrau caseg eira o ddial yn y nofel.

(b)   Enwch ddau beth a wnaeth y Cotiau Glas i'r Indiaid Cochion.   [3]

Ateb enghreifftiol:
Ar ddechrau'r nofel ymosododd y Cotiau Glas ar wersyll yr Apache gan ladd llawer o wragedd a phlant. Yn y digwyddiad hwn y treisiodd Dicks ferch un o'r Navaho, sef Haul y Bore a llofruddio ei phlentyn Chiquito. Yn nes ymlaen yn y nofel bydd y Cotiau Glas yn casglu miloedd o Indiaid at ei gilydd y tu allan i Ffort Defiance ac yna gwneud iddyn nhw gerdded Y Daith Faith i Bosque Redondo.

(c)   Ysgrifennwch hanes **un** digwyddiad pwysig o'r nofel sy'n sôn am Geunant de Chelley, cartref Haul y Bore a llwyth y Navaho. Eglurwch beth sy'n digwydd ac yna dywedwch pam mae'r digwyddiad yn bwysig.
        Dylech ysgrifennu tua ½ tudalen.   [10]

Ateb enghreifftiol:
Daeth y Cotiau Glas i ddinistrio Ceunant de Chelley a phan welodd Haul y Bore beth roedden nhw'n wneud doedd hi ddim yn gallu aros yn yr ogof yn y creigiau uwchben yn cuddio heb wneud dim i amddiffyn ei chartref hi a llwyth y Navaho. Mae hi'n cynnig i Barboncito, y rico sydd yn bennaeth arnyn nhw oherwydd nad yw Manuelito

yno, y dylen nhw ymosod ar y Cotiau Glas ond nid yw Barboncito yn cytuno â hi. Wedi diwrnod o guddio a gweld a chlywed y pethau erchyll mae'r Cotiau Glas yn eu gwneud yn y Ceunant mae Barboncito yn penderfynu gwrando ar Haul y Bore ac ymosod ar y Cotiau Glas drwy daflu cerrig a chreigiau ar eu pennau o'r ogofâu uwchben wrth i Capten Victor Dicks a'i filwyr ymadael. Cafodd pedwar deg o'r Cotiau Glas eu lladd ond cafodd dros gant o Navaho hefyd eu lladd gan fwledi'r Cotiau Glas.

(ch)   Sut **gymeriad** yw Manuelito.
        Rhowch enghreifftiau o'r ffordd y mae'n ymddwyn.   [6]

Ateb enghreifftiol:
Un o ricos y Navaho yw Manuelito ac ef hefyd yw tad Haul y Bore. Mae o'n arweinydd cryf a dewr a phan fydd o'n siarad bydd pobl yn gwrando arno ac yn dilyn ei gyngor. Pan ddaeth Manuelito o hyd i Haul y Bore a chlywed iddi gael ei threisio a gweld llofruddiaeth ei mab roedd o'n ofalus iawn ohoni a bu'n ei golchi ac edrych ar ei hôl hi. Wedi deall yn iawn beth sydd wedi digwydd i'w ferch mae o eisiau dial ac er ei fod o fel arfer yn fwy hapus i siarad a datrys problemau drwy drafod pethau mae o'n flin iawn gyda'r Cotiau Glas ac eisiau defnyddio trais i ddial arnyn nhw. Yn y nofel mae o'n dadlau gyda Herrero Grande fwy nag unwaith ynglŷn â hyn. Mae o'n ddyn penderfynol iawn a dydi o ddim eisiau i neb arall o'i deulu a llwyth y Navaho ddioddef fel y gwnaeth Haul y Bore. Roedd Manuelito yn drist ac yn flin iawn pan oedd rhaid i'r Navaho adael eu cartref yng Ngheunant de Chelley – roedd o'n teimlo y dylai o fod wedi gwneud mwy i rwystro'r Cotiau Glas.

(d)   (i)   Edrychwch ar arddull llinell 15 yn y darn.
              "Gallai redeg fel ei thad a'i brodyr. Rhedeg fel yr ewig a'r hydd."
              Dywedwch pam y mae'r darn hwn yn effeithiol.   [2]

Ateb enghreifftiol:
Ceir cyffelybiaeth drawiadol yn y dyfyniad hwn. Mae Haul y Bore yn gallu rhedeg "fel yr ewig a'r hydd" ac mae dweud ei bod hi'n gallu rhedeg fel un o'r anifeiliaid yma yn dangos pa mor agos at fyd natur y mae llwyth y Navaho. Yn y dyfyniad hwn mae Haul y Bore yn sôn am ei theulu hefyd ac maen nhw'n bwysig iawn iddi hi.

       (ii)   Edrychwch ar arddull llinellau 35-36 yn y darn.
              "Yno roedd Ceunant de Chelley, Manuelito, Juanita, lloches a diogelwch."
              Dywedwch pam y mae'r darn hwn yn effeithiol.   [2]

Ateb enghreifftiol:

Ceir rhestru yn y dyfyniad hwn. Mae'r llinell hon yn cynnwys rhestr o'r pethau
pwysicaf ym mywyd Haul y Bore ac efallai eu bod yn nhrefn pwysigrwydd i Haul y
Bore yn ogystal. Yng Ngheunant de Chelley y mae ei chartref ac yna cawn enwau ei
thad a'i mam. Dyma restr o'r pethau sy'n golygu diogelwch i Haul y Bore ac maen nhw
i gyd gyda'i gilydd yn y dyfyniad hwn.

(iii)   Chwiliwch am enghraifft arall o nodwedd arddull yn y darn.
   • Dyfynnwch y nodwedd.
   • Enwch y nodwedd.
   • Dywedwch pam mae'r nodwedd yn effeithiol.   [4]

Ateb enghreifftiol:

"Suddodd ei chalon. Daeth pâr o esgidiau lledr, gloyw i'r golwg. Esgidiau yn perthyn i
un o filwyr y Cotiau Glas."

Mae'r dyfyniad hwn yn effeithiol iawn er mwyn dangos ofn Haul y Bore. Mae'r trosiad
"Suddodd ei chalon" yn cyfleu ei hofn y foment honno ac mae sŵn cas iawn yng
nghytseinedd y geiriau "gloyw i'r golwg". Nid yw Haul y Bore, na ni'r darllenydd yn
credu ei bod hi wedi llwyddo i ddianc er yr holl redeg ac mae ailadrodd y gair
"esgidiau" yn pwysleisio pa mor anobeithiol y mae hi yn credu yw ei sefyllfa.

(dd)   Dychmygwch mai chi yw **Haul y Bore**.
   Ysgrifennwch **bortread o Chico** drwy ei llygaid hi.
   Rhowch enghreifftiau o'r ffordd y mae'n ymddwyn.
   Wrth ysgrifennu cofiwch mai chi yw Haul y Bore.
   Dylech ysgrifennu tua ½ tudalen.   [10]

Ateb enghreifftiol:

Roeddwn i'n ofni'n fawr y byddai Chico yn fy meio i am lofruddiaeth Chiquito ond fe
ddylwn i fod yn gwybod faint y mae o'n fy ngharu i. Wrth gwrs fe wnaeth o faddau i
mi ac roedd o'n deall nad oeddwn i'n gallu gwneud dim i amddiffyn Chiquito. Mae
Chico yn gryf ac yn ddigon dewr i ddial unwaith eto ar y Cotiau Glas. Alla i ddim credu
ei fod o wedi ymosod ar wersyll y Cotiau Glas ar ei ben ei hun – roedd o mor ddewr.
Mae'n rhaid nad oedd o'n poeni dim am farw a dial yn unig oedd ar ei feddwl. Rydw i
mor falch ohono. Rwy'n siŵr y bydd yn dial ar Dicks yn greulon iawn ryw ddiwrnod.
Mae o mor benderfynol ac ni fydd Chico yn gallu gorffwys nes y bydd wedi dial yn
llwyr ar y Cotiau Glas am ladd Chiquito. Mae o'n caru llwyth yr Apache ac eisiau i fi
fynd gydag o i chwilio am Geronimo ond alla i ddim gadael fy nheulu i ac mae o'n
deall hynny. Rydyn ni'n deall ein gilydd ac mae o'n parchu fy mhenderfyniadau i. Mae

Geronimo, ei lysdad, wedi gofalu amdano a'i baratoi ar gyfer bod yn arweinydd llwyth yr Apache ryw ddiwrnod ac fe fydd yn arweinydd gwych. Mae pawb yn ei barchu a'i garu a phan fydd o'n siarad mae pawb yn gwrando arno. Dywedodd Tanuah, yr Arapaho, wrtha i fod ei ysbryd o'n gryf iawn a phan oedd wedi gwella digon i siarad roedd o'n gorchymyn Tanuah i wneud pob math o bethau! Pan glywais i ei fod o wedi torri ar draws Herrero Grande, ein pennaeth ni, mewn cyfarfod o'r ricos roeddwn i wedi dychryn ond unwaith eto mor falch mai fo a ddewisais i i fod yn ŵr i mi. Fe fyddai Chico'n cerdded drwy dân i'm gwarchod i a byddwn gyda'n gilydd am byth.

HAEN UWCH

Darllenwch y darn a gymerwyd o *I Ble'r Aeth Haul y Bore?* Yna atebwch y cwestiynau sy'n dilyn yn llawn a gofalus gan ddyfynnu'n bwrpasol. (Ystyriwch y marciau a roddir am bob cwestiwn.)

(a)   Trafodwch **ddwy** olygfa o'r nofel lle ceir enghreifftiau penodol o ddial a nodwch beth yw effaith y dial hwn ar blot y nofel?   [10 x 2]

Ateb enghreifftiol:
Wedi iddo glywed yr hanes erchyll am farwolaeth ei fab (nad yw wedi ei weld erioed) gan yr hen wraig ddoeth Quanah mae Chico yn mynd i chwilio am Dicks a'i ddynion. Cyn mynd mae'n paratoi'n ofalus er ei fod yn cyfaddef nad yw wedi meddwl yn iawn sut i ddial eto. Mae Chico'n gwneud dawns ryfel o amgylch boncyff coeden Chiquito ac yn rhoi gwaed ar ei wyneb. Mae'n estyn ei gyllell â'i law dde ac yn dal ei law chwith at gorff ei fab. Mae'n torri croen cledr ei law ac yn gosod y gwaed ar hyd ei wyneb – chwe llinell ar ei dalcen a'i fochau. Mae'n gofyn i Usen (duw yr Apache) fod gydag ef wrth iddo ddial. Mae Chico hefyd yn meddwl beth fyddai ei lysdad, Geronimo, yn ei wneud yn yr un sefyllfa ag ef. Yna mae'n cofio am stori Barboncito'r Navaho yn creu hafog mewn gwersyll o filwyr Mecsicanaidd a dyna sut y cafodd Chico y syniad ar gyfer defnyddio'r gasgen llawn powdr du a blaenau saethau i'w taflu i dân gwersyll y Cotiau Glas. O safbwynt plot y nofel, bu llofruddiaeth Chiquito yn ddechrau caseg eira o ddialedd a dyma ddechrau dial. Dim ond y dechrau yw'r olygfa hon a bydd Chico a Dicks yn croesi cleddyfau fwy nag unwaith yn ystod y nofel hon gan glymu dechrau a diwedd y nofel.

*****

I Ble'r Aeth Haul y Bore?

Pan welodd Haul y Bore y dinistr yr oedd y Cotiau Glas yn ei wneud i'r Ceunant ni allai hi aros yn yr ogofâu yn y creigiau uwchben yn cuddio heb wneud dim i amddiffyn bywoliaeth a chartref yr Indiaid. Mae hi'n cynnig i Barboncito, y rico sydd yng ngofal y Navaho yn y Ceunant yn dilyn absenoldeb Manuelito, y dylen nhw ymosod ar y Cotiau Glas ond nid yw Barboncito yn cytuno â hi. Mae Haul y Bore yn barod i beryglu ei bywyd er mwyn amddiffyn ei chartref a thir y Navaho ond nid yw Barboncito yn barod i beryglu bywyd merch Manuelito a bywydau gweddill y llwyth sydd dan ei ofal. Wedi diwrnod o guddio a gweld a chlywed y dinisitrio mae Barboncito yn penderfynu gwrando ar gyngor Haul y Bore ac ymosod ar y Cotiau Glas drwy daflu cerrig a chreigiau ar eu pennau o'r ogofâu uwchben wrth iddyn nhw ymadael. Caiff deugain o'r Cotiau Glas eu lladd ond caiff dros gant o Navaho hefyd eu lladd gan fwledi'r Cotiau Glas. O safbwynt plot y nofel mae'r digwyddiad hwn yn bwysig oherwydd bod trais erchyll a hyfdra y Cotiau Glas bellach wedi gorfodi i hyd yn oed lwyth heddychlon y Navaho ddial arnynt ac aiff pethau o ddrwg i waeth yn dilyn y digwyddiad hwn.

(b) Sut mae'r awdur yn darlunio dicter Haul y Bore? [10]

Ateb enghreifftiol:
Wrth iddi redeg mae Eirug Wyn yn darlunio meddwl cymysglyd Haul y Bore ac yn disgrifio ei theimladau. Drwy gyfrwng y dechneg hon rydym ni yn uniaethu â hi ac yn cydymdeimlo â'i sefyllfa. Cawn lawer o frawddegau byrion i gyfleu ei chyflwr meddyliol cymysglyd ac un o'r rhai mwyaf trawiadol a chignoeth yw, "Roedd Chiquito wedi marw." Mae terfynoldeb arswydus yn y geiriau hyn ac mae Haul y Bore yn ailadrodd y gair "marw" yn uchel yn dilyn y frawddeg fer. Mae hi fel pe bai hi'n methu credu beth sydd wedi digwydd ac yn ceisio dygymod â'i sefyllfa. Mae'r defnydd o'r negyddol ar ddechrau'r darn yn amlygu tristwch Haul y Bore na chaiff wneud yr hyn y gobeithiai amdano, "welai hi mohono eto. Châi hi ddim ei gyflwyno i'w dad" ac mae ailadrodd y gair "roedd …" yn pwysleisio effaith digwyddiadau'r gorffennol arni. Yna mae'r awdur yn darlunio teimladau Haul y Bore yn newid. Cawn yr ymadrodd, "syrthiodd yn swp ar lawr" er mwyn cyfleu diymadferthedd Haul y Bore ac yna mae'n ailadrodd y gair "trais" er mwyn pwysleisio ei chasineb tuag at y dyn gwyn. Mae hi bellach yn flin iawn a chawn gyfres o ansoddeiriau, "llygaid creulon, y dannedd brown …" yn y disgrifiad manwl o wrthrych ei dicter, sef y Capten Victor Dicks. Adroddir y darn hwn yn y trydydd person ond gwelwn y digwyddiad trwy lif ymwybod Haul y Bore ac mae hyn yn bwysig er mwyn galluogi'r darllenydd i deimlo dicter a phoen y cymeriad. Ceir gwrthgyferbynu rhwng anobaith Haul y Bore a'i dicter ar ddechrau'r darn a'r gobaith o gyrraedd diogelwch ei chartref tua'r diwedd.

(c)   Ysgrifennwch **ymson Manuelito** ar ddiwedd y nofel hon.
       Ysgrifennwch tua 1½ tudalen.   [10]

Ateb enghreifftiol:

Pe bai'r creigiau hyn yn gallu crio fe fyddent yn crio gwaed heddiw. Pe bai'r coed hyn yn gallu gweiddi fe fyddent yn sgrechian heddiw. Pe bai'r afon hon yn gallu siarad ni fyddwn eisiau clywed ei stori – fe fyddai ei stori'n waeth na straeon Quanah. Daeth y dyn gwyn a dwyn popeth oddi arnaf i a'm llwyth y Navaho. Ni ddychmygais erioed y gwelwn i y fath drais a dinistr a chwalwyd fy mreuddwydion i gyd yn ulw. Bûm i'n wan i wrando ar eiriau Herrero Grande a pheidio ag ymladd yn erbyn trais y Dyn Gwyn ond roedd rhaid i mi wrando arno – ef oedd pennaeth y ricos a gwrando ar ei air ef y dylai pob Navaho ei wneud yn unol ag arferion y llwyth, ond ni allaf feio neb ond mi fy hun am beidio a dilyn fy ngreddf a brwydro yn erbyn y Cotiau Glas. Gwrandewais ar eiriau heddwch Cyrnol Canby yn Ffort Wingate a gwisgais ei esgidiau lledr. Gwrandewais hefyd ar eiriau'r Taflwr Rhaffau, dywedodd y gwir ynglŷn â thynged Ceunant de Chelley ond ni lwyddais i achub perl ein cyndeidiau. Yn wir, arweiniais fy llwyth o'r Ceunant y bore erchyll hwnnw gan wybod bod y ddwy hen wraig a drywanodd eu hunain i farwolaeth o fy mlaen wedi bod yn fwy dewr na mi. Ond allwn i ddim mynd yn groes i orchmynion Herrero – allwn i? Ble wyt ti heddiw Haul y Bore? Wyt ti yma ar lan yr afon hon gyda mi? Wyt ti gyda'th fab a'm ŵyr bach i Chiquito? Ydi dy ŵr dewr Chico yn edrych ar dy ôl yn rhywle llawer mwy heddychlon na'r ddaear hon? Gobeithio'n wir. Gobeithio hefyd dy fod yn gwybod cymaint yw fy nghariad tuag atoch chi eich tri ac mor falch ydw i ohonoch chi a'ch dewrder. Meddyliaf amdanat ti, Haul y Bore, yn cynnal ein rico Barboncito ac yn ei wneud yntau'n ddigon dewr i ymosod ar Dicks a'i filwyr drwy daflu'r creigiau i lawr arnynt yn y Ceunant wrth iddyn nhw ddychwelyd o fod yn difa'r perllannau. Mae fy ngwaed yn berwi bob tro y clywaf enw Dicks a bu dialedd Chico arno yn deilwng o enw dy fab. Ond sut y mae anghofio beth wnaeth y Cotiau Glas i ni ac i ti? Roedd gweld ein llwyth ar y Daith Faith yn ddigon i dorri calon y Navaho dewraf ac mae geiriau Armijo yn dal i atsain yn fy mhen, "Onid ydi hi'n well i'n pobl fyw ar y Bosque na marw yma?" – rwy'n dal yn sicr y byddai wedi bod yn well i ni ymladd a marw yng Ngheunant de Chelley na'r hyn sydd yn wynebu'r llwyth ar dir gwael y Bosque yn y blynyddoedd sydd i ddod. Fe wnest tithau'n iawn i beidio â gadael i Dicks dy drechu di fy merch. Os wyt ti'n dal i wrando arna i Haul y Bore addawaf gerbron Usen y byddaf yn dial ar y Dyn Gwyn am ei drais yn erbyn ein pobl a'n cefndryd a byddi di hefyd yn falch ohona i ryw ddiwrnod – ni wnaf i fyth anghofio dy aberth di er ein mwyn ni i gyd.

14. Cwis

1. Byddai'r Apache yn gwisgo plu'r eryr fel arwydd o ...
   - (a) Cryfder, doethineb a gallu
   - (b) Cyfiawnder, doethineb a grym
   - (c) Dewrder, doethineb a grym

2. At bwy mae Kit Carson eisiau i'r Capten Patrick O'Connor fynd â llythyr yn dweud ei fod yn barod i ildio?
   - (a) Cyrnol Canby
   - (b) Yr Arlywydd Lincoln
   - (c) Y Cadfridog Sherman

3. I ba lwyth oedd y sgowtiaid Tanuah a Benito yn perthyn?
   - (a) Arapaho
   - (b) Mescaleros
   - (c) Bedonkohes

4. Pa dair anrheg dderbyniodd ricos y Navaho gan y Cyrnol Canby yn Ffort Wingate?
   - (a) Esgidiau lledr, bag cyfrwy a chostrel o ddŵr
   - (b) Esgidiau lledr, blanced liwgar a photel o wisgi
   - (c) Esgidiau, pistol a chwip

5. Beth yw enw'r rhaeadr yng Ngheunant de Chelley?
   - (a) Rhaeadr y Ddraig
   - (b) Rhaeadr y Bwrlwm
   - (c) Rhaeadr y Nos

6. Sawl diwrnod fu'r Cotiau Glas wrthi'n dinistrio'r Ceunant?
   - (a) 3
   - (b) 4
   - (c) 5

7. Beth yw'r peth olaf mae Chico yn ei wneud cyn mynd i'r ogof i nôl y powdr du a'r blaenau saethau?
   - (a) Gwneud dawns ryfel
   - (b) Torri cledr ei law â chyllell
   - (c) Cusanu coeden Chiquito

8. Pwy gariodd y faner wen i Ffort Defiance?
   (a) Manuelito
   (b) Herrero Grande
   (c) Barboncito

9. Pwy ddywedodd y geiriau, "Onid ydi hi'n well i'n pobl fyw ar y Bosque na marw yma?"
   (a) Manuelito
   (b) Barboncito
   (c) Armijo

10. Faint o lwyth y Navaho a laddwyd gan y bwledi adlam adeg dinistrio'r Ceunant?
    (a) 50
    (b) 100
    (c) 150

11. I ba Ffort y cafodd y Navaho eu hebrwng o'r Ceunant?
    (a) Ffort Sumner
    (b) Ffort Wingate
    (c) Ffort Bowie

12. Faint o ddoleri oedd y posteri yn eu cynnig am ddal Geronimo neu Barboncito yn fyw neu'n farw?
    (a) $100
    (b) $500
    (c) $1000

13. Ble cafwyd hyd i fechgyn ifanc y Navaho a oedd wedi dwyn y ceffylau o tu allan i Ffort Defiance?
    (a) Ransh y Ceffyl Du
    (b) Ransh yr Afr Wen
    (c) Ransh yr Hwrdd Coch

14. Faint o lwyth y Navaho oedd yn disgwyl i gael eu hebrwng i Ffort Defiance o Geunant de Chelley?
    (a) 500
    (b) 1000
    (c) 2000

15. Dail a rhisgl pa goeden ddefnyddiodd Benito i olchi clwyfau Chico?
    (a) Jambah
    (b) Coeden Chiquito
    (c) Juh

16. Beth wnaeth Geronimo i ddangos bod Ffort Defiance ar dir yr Apache wedi iddo ennill y frwydr yno?
    (a) Gweiddi "Geronimoooo!"
    (b) Taflu picell â phlu gwynion arni
    (c) Clymu Carson ar geffyl

17. Ble mae Carson yn carcharu Dicks?
    (a) Yn yr Ystafell Warchod
    (b) Yn Swyddfa Carleton
    (c) Yn y Storfa Arfau

18. Mae Haul y Bore yn achub bywyd Quanah ar y Daith drwy ...
    (a) Sefyll rhyngddi hi â gwn
    (b) Sefyll rhyngddi hi â chwip
    (c) Sefyll rhyngddi hi â chyllell

19. Faint o Indiaid gychwynnodd y Daith Faith a faint gyrhaeddodd y Bosque Redondo?
    (a) Cychwyn: 1800 Cyrraedd: 400
    (b) Cychwyn: 2000 Cyrraedd: 1400
    (c) Cychwyn: 2500 Cyrraedd: 1400

20. Pwy sy'n dweud hanes hunanladdiad Haul y Bore wrth Chico?
    (a) Barboncito
    (b) Necwar
    (c) Kit Carson

21. Beth yw llinell olaf y nofel?
    (a) I ble'r aeth hi?
    (b) Ble'r aeth haul y bore?
    (c) Diffoddodd haul y bore.

22. Beth yw enw mab Cochise?
    (a)   Juh
    (b)   Necwar
    (c)   Naiche

23. Pwy anfonodd y Cadfridog Carleton o'r Ffort i ymosod ar Geronimo adeg Brwydr Ffort Defiance?
    (a)   Capten Grayson
    (b)   Capten Gregory
    (c)   Capten Grey

24. Beth yw enw llysfam Haul y Bore?
    (a)   Maria
    (b)   Juanita
    (c)   Quanah

25. "Gwell angau na ...!"
    (a)   Dial
    (b)   Cywilydd
    (c)   Gwybod

15. Atebion

1. Cyfiawnder, doethineb a grym
2. Y Cadfridog Sherman
3. Arapaho
4. Esgidiau lledr, bag cyfrwy a chostrel o ddŵr
5. Rhaeadr y Bwrlwm
6. 4
7. Cusanu coeden Chiquito
8. Herrero Grande
9. Armijo
10. 100
11. Ffort Sumner
12. $500
13. Ransh y Ceffyl Du
14. 1000
15. Jambah
16. Taflu picell â phlu gwynion arni
17. Yn yr Ystafell Warchod
18. Sefyll rhyngddi hi â chwip
19. Cychwyn: 2500 Cyrraedd: 1400
20. Necwar
21. Diffoddodd haul y bore.
22. Naiche
23. Capten Gregory
24. Juanita
25. Cywilydd